COVER & COVER
grafica a 33 giri

Comune di Milano
Ripartizione cultura e spettacolo
Assessore: Guido Aghina
Capo Ripartizione: Lucia Saccabusi

La mostra *COVER & COVER grafica a 33 giri* è organizzata dal Comune di Milano e da Radio Popolare nel mese di maggio e giugno 1982, patrocinata dall'AFI (Associazione dei fonografici italiani) e dal settimanale «TV Sorrisi e Canzoni».
Curata e realizzata da Ivan Berni, Enzo Gentile e Alberto Tonti.
Progetto strutturale ed espositivo di Alberto Stampanoni Bassi e Alberto Tonti.
Struttura di Milana. Luci di Sem Luci.

Si ringraziano per la preziosa collaborazione:
Guido Cataldo e lo studio Guymages per le fotografie
Fausto Pisani per l'allestimento grafico
Jane Dollman e Silvia Milesi per la segreteria

Si ringraziano per il reperimento del materiale le etichette e le case di distribuzione
Ad hoc. Appaloosa. Ariston. Base. CBS. CGD. Clone. Cramps. Crass. DDD. Decca. Dischi del Sole. EMI. Fonit Cetra. Mama Barley. Materiali Sonori. Orchestra. PDU. Pilgrim Fathers. Polygram. Ralph. RCA. Ricordi. Rifi. Ultima Spiaggia. WEA. Young.

Radio Popolare
Ivan Berni, Enzo Gentile, Alberto Tonti

COVER & COVER
grafica a 33 giri

Comune di Milano
Ripartizione cultura e spettacolo
Mazzotta

Realizzazione del catalogo:
Redazione: Editing snc, Milano
Copertina: G & R Associati
Fotolito: Arti Grafiche Chiamenti, Verona
Fotocomposizione: P.GI., Milano
Stampa: Elli e Pagani, Milano

INDICE

Troppo spesso si è guardato alla storia della musica come a un elenco di interpreti e di autori, come a un ricco produrre di dischi e concerti, ma raramente si è pensato di studiare e rappresentare le opere fonografiche attraverso le loro confezioni naturali, le copertine, un mondo a sé stante eppure denso di spunti interessanti, talvolta veicolo per veri e propri capolavori grafici. È per questo che come civica amministrazione abbiamo accolto con entusiasmo la proposta di allestire una mostra che facesse il punto sulla situazione di un settore ancora poco valorizzato ma che consente di rievocare i passaggi più importanti e stimolanti della cultura musicale da trent'anni a questa parte. Per la prima volta in Italia e con poche altre iniziative simili nel resto d'Europa, si tenta di ricostruire secondo una formula agile e accattivante l'iter del costume e del gusto riguardanti la copertina discografica. Individuati alcuni filoni particolarmente rappresentativi di questa evoluzione, dalla fotografia bianco e nero al disegno, dal ritratto al fumetto si è voluto raccontare per immagini il corso di questo strumento di comunicazione che reputiamo finalmente valorizzato.
La mostra *COVER & COVER grafica a 33 giri* è stata concepita per un pubblico più ampio possibile: quello dei giovani, appassionati e aggiornatissimi, e quello forse più folto dei non specializzati che sappiamo incuriosito e attratto da questo campione di opere grafiche setacciate tra una produzione sterminata.
Un sincero ringraziamento va ai curatori della mostra e del presente volume, Ivan Berni, Enzo Gentile e Alberto Tonti, ai loro collaboratori e a Radio Popolare che insieme alla Civica amministrazione ha coordinato l'organizzazione.
Da ultimo desidero ricordare il prezioso contributo assicurato dall'AFI (Associazione dei fonografici italiani) e dal settimanale «TV Sorrisi e Canzoni» per l'allestimento della mostra e per la sensibilità dimostrata nell'aver seguito l'intera iniziativa.

Guido Aghina
Assessore alla Cultura
del Comune di Milano

I PRIMI «MULTIPLI» DELLA STORIA

All'inizio i dischi venivano più o meno protetti da buste di carta leggera, di colore incerto con un aspetto estremamente secondario e fragile in confronto ai pesanti settantotto giri che contenevano.
Con i primi LP e con l'espandersi del mercato discografico, anche le copertine si trasformano seguendo i gusti, le tendenze e le mode delle varie epoche. Verso la fine degli anni 40 cominciano ad apparire le prime immagini alle quali non è certo dedicata nessuna particolare attenzione grafica. Sono per lo più disegni o fotografie che illustrano in maniera piatta e a volte retorica il contenuto.
Per le fotografie si prediligono i primi piani degli interpreti che cantano con aria ispirata, mentre nel caso dei disegni non si va molto oltre i sassofoni e le trombe con qualche chiave di violino sparsa qua e là. Del resto la produzione discografica a quel tempo è ancora limitata: le orchestre, i cantanti e i complessi sono già in qualche modo abbastanza noti e seguiti dagli appassionati, per i quali un nome o un volto sono già un motivo più che sufficiente per acquistare un disco. Quando su una copertina appare la faccia di Frank Sinatra nell'atto di cantare e contemporaneamente sorridere, il messaggio è esauriente, non c'è bisogno di aggiungere altro.
Verso la metà degli anni 50, con la nascita del *rock 'n roll*, le cose cominciano a cambiare. Innanzitutto il pubblico al quale il discografico si rivolge è radicalmente cambiato: i fruitori di *rock 'n roll* sono *teenagers* assetati di novità musicali, come di nuovi modelli da imitare e di nuove forme estetiche da dare al proprio atteggiamento nei confronti della vita.
Per questo nuovo pubblico è importante comprare, insieme al disco, una immagine precisa del cantante preferito, del quale cominciano a imitare la pettinatura, l'abbigliamento, la gestualità. Le case discografiche colgono immediatamente l'importanza di questo cambiamento e creano a getto continuo personaggi, musica ed estetica per i giovani fans.
All'inizio niente è ancora ben definito, tutto è ancora da inventare. La produzione cinematografica contribuisce non poco a definire i connotati del giovane ribelle rockettaro. I ragazzi e i teddy boys che si muovono con rabbia nei film di Richard Brooks, di Elia Kazan e di Nicholas Ray diventano un esempio più che esplicito per migliaia di giovani.
In questo contesto l'immagine con la quale si «rappresenta» un disco non può più essere né casuale né sfuocata: le nuove star del *rock 'n roll* vengono ritratte in atteggiamenti provocatori e ci si impegna affinché venga trasmesso lo stato di «trance» in cui l'idolo di turno interpreta le canzoni, la rabbia con la quale pesta sul pianoforte o suona la chitarra.
L'impressione che si ricava oggi riguardando le copertine degli anni 50 è quella di trovarsi di fronte a delle immagini di puro kitsch (nel senso della loro tensione originale) nelle quali gli aneliti ribelli degli interpreti sono talmente codificati da perdere molto della loro tensione originale.
Basti guardare la copertina di *Here's Little Richard* dove, alla vera grinta del cantante più arrabbiato e anticonformista d'America, l'art director sente il bisogno di aggiungere false gocce di sudore e false pieghe di amarezza.
Sintomatico della diffusa tendenza al kitsch è l'album di Little Anthony and The Imperials dove il cantante viene ritratto con tanto di corona in testa, scettro e mantello purpureo, circondato dal suo coro-suddito.
Nel campo del jazz, al contrario, già in quegl'anni l'impegno grafico di stile è notevole. Molti artisti di valore alle loro prime esperienze producono stupende, storiche copertine. Basti citare Andy Warhol che firma un paio di 33 giri nel 1957 e nel 1958 per lo straordinario Kenny Burrel o il bravissimo Kenneth

Deardoff che disegno per la Riverside delle eccellenti copertine.
Negli anni 60 la formazione di una band come quella dei Beatles non poteva non risultare fondamentale anche nei riguardi della storia della copertina. I Beatles affidano la loro immagine grafica a dei veri professionisti come Voorma, Freeman e Hamilton. I risultati sono noti a tutti: fra tanti straordinari album basti ricordare *Revolver* del 1966.
Significativo è pure il *White Album*, due anni dopo, per il quale si rinuncia a qualsiasi elaborazione: la fama del complesso è tale che non c'è più bisogno di inventare qualcosa per catturare nuovo pubblico, un po' come per il vecchio slogan: «nel nome una garanzia».
Dopo il 68 con la contestazione giovanile, con la diffusione delle droghe leggere e dell'Lsd e con la fortuna che incontrano le religioni orientali (gli stessi Beatles non rinunciano al mitico viaggio in India) la tendenza più significativa è quella della psichedelia. Il diffondersi di questo nuovo gusto per le immagini di tipo onirico, che rimandano ai viaggi (se non in Oriente, a quelli «in acido» o ai morbidi vagabondaggi dell'erba o dell'hashish), è ben rappresentato da album come *Axis Bold As Love* di Jimi Hendrix, *Disraeli Gears* dei Cream o *Watt* dei Ten Years After.
Da quel momento la strada è aperta e i *cover designers* si scatenano in tutte le direzioni possibili: i fumetti, il sesso, il revival, il trompe-l'œil, l'iperrealismo.
Andy Warhol nel 1971 pensa di incollare una vera zip sull'album *Stiky Fingers* dei Rolling Stones: c'è da domandarsi quanti avranno comprato il disco solo per la copertina, anche se trattandosi di Mick Jagger e soci le vendite erano già assicurate.
La busta di carta che per anni era stata qualcosa di estremamente secondario e accessorio, diventa un elemento sempre più importante al quale dedicare una estrema attenzione e un crescente impegno. Negli ultimi dieci anni la produzione è un vero e proprio catalogo di tendenze.
Alcuni musicisti pensano di interpretare oltre alle proprie canzoni anche le proprie copertine: Cat Stevens si cimenta disegnando nel 1970 *Tea For the Tillerman* e un anno dopo *Teaser And the Firecat*; Bob Dylan si autoritrae per la copertina di *Self Portrait* e disegna anche quella di *Planet Waves* qualche anno dopo.
Altri artisti affidano la buona riuscita dell'immagine dell'album alla professionalità di grandi fotografi. Nell'ormai lontano 1964 i Rolling Stones scelgono per il loro secondo prodotto David Bailey: Richard Avedon scatta per Simon and Garfunkel la foto di *Bookends*, Lou Reed ricorre a Oliviero Toscani per il suo *Live* e Carly Simon si affida a Norman Seef per una delle immagini più sexy della storia delle copertine per l'LP *Playing Possum*.
L'importanza sempre crescente che viene data all'*imagine* determina la nascita di agenzie specializzate, come la famosa Hipgnosis che crea confezioni stupende: da quelle per i Pink Floyd (praticamente tutti i loro LP) agli Audience, ai Nice. Solo nel 1975 Hipgnosis produce sei copertine da dieci e lode.
Oggi le tendenze si sono diversificate, gli stili, le invenzioni, le tecniche sono le più varie.
La *new wave*, nata parallelamente all'incremento della case discografiche indipendenti, più che una moda passeggera impone una tendenza precisa.
In Italia, dove per anni il mestiere del disegnatore di copertina è stato appannaggio di pochi professionisti, le nuove generazioni trovano spazio per esprimere le loro idee e i risultati anche da noi spesso sono eccellenti, guardare per credere.

Qual è stata la prima copertina che hai realizzato?
È stato per un quarantacinque di Franco Battiato. Il primo quarantacinque che ha fatto Franco Battiato per la Polygram... mi sembra si chiamasse *È l'estate*, o forse *È l'amore*; andò anche a St. Vincent, credo fosse il 1969.
Io avevo chiesto di lavorare per la Polygram e con Battiato la conoscenza è cominciata lì. Lui era appena arrivato dalla Sicilia, aveva fatto un provino che era andato bene e come accettarono lui accettarono anche me per la copertina. All'epoca andavo ancora a scuola, alla serale.

Se non mi sbaglio, in quel periodo collaboravi anche con «Re Nudo»...
Sì, la grafica di «Re Nudo» l'ho fatta sempre io; il giornale, i manifesti, la grafica di tutti i festival al parco Lambro, le manifestazioni che si organizzavano... le ho seguite sempre io. Anche per «Gong» è stato lo stesso. Ogni numero lo facevamo qua, in questo studio, con una struttura minima... per un paio d'anni è stato bello.

L'hai inventata tu questa figura di «specialista» in copertine di dischi?
Non sono stato il primo, ma quando ho iniziato eravamo veramente in pochi. Il primo a occuparsi soprattutto di copertine credo sia stato Greguoli, poi senz'altro Tallarini, che ha qualche anno più di me e all'epoca lavorava a «Musica e Dischi» come grafico. Attraverso la rivista entrava in contatto con i discografici che gli davano lavoro. Io, forse, sono stato quello che ha portato al successo questa figura in Italia.

Hai dovuto batterti per riuscirci?
No, è stata un'evoluzione naturale, non posso dire di aver fatto crociate o battaglie particolari. C'è stata una coincidenza di tempi fra la richiesta di un'immagine più raffinata e studiata da parte delle case discografiche e una mia evoluzione professionale che andava nella stessa direzione. Io sono nato come grafico ma mi è sempre piaciuta la musica, ho scelto in modo preciso quest'area di lavoro, altrimenti non si spiegherebbe perché continui a farlo...
Fin dai tempi della scuola ho sempre pensato che l'immagine nella discografia è la punta di diamante dell'immagine in generale.
Lo dimostra il fatto che molte immagini che ci vengono proposte in altri settori, come la pubblicità e anche la moda stessa, per noi sono un po' datate. Le immagini discografiche sono all'avanguardia, sono sempre in anticipo sulle tendenze di modificazione del segno grafico e dell'immagine in genere.

Come mai?
Forse perché la musica è l'arte per eccellenza... Noi dobbiamo continuamente studiare e proporre cose nuove per stare al passo con i musicisti. L'evoluzione delle forme della musica impone l'evoluzione delle forme dell'immagine.

Non c'è il pericolo di rimanere a rimorchio delle mode musicali, sempre più fagocitanti e frenetiche?
Certo, il pericolo esiste... Nel limite del possibile si cerca di assecondare un'operazione valutando il successo che può avere. Il pericolo vero è di andare a rimorchio di altre mode già superate, come il look da pirati, ad esempio. A prescindere dalla moda del momento, è comunque il gusto nel riempire questa superficie l'elemento che conta.

C'è sempre un rapporto diretto fra il contenuto musicale del disco e la copertina che realizzi?
Il rapporto è quasi sempre diretto, almeno per i casi che ci interessano... Del resto noi lavoriamo per l'industria del disco e qualche volta capita di dover fare dei la-

vori per mantenerci. In certi casi l'abbinamento musica immagine è al cento per cento, in altri è il discografico che suggerisce e noi eseguiamo.

Questo vuol dire che se devi lavorare per un disco che non ti piace la copertina sarà mediocre...
Non è detto, anche se in teoria dovrebbe essere così. Ultimamente abbiamo fatto una copertina per un gruppo italiano che francamente non mi piace, ma alla fine siamo riusciti a fare un buon lavoro. Si vede che siamo diventati così abili che se anche manca «il cuore» della musica, riusciamo ugualmente a dare un buon taglio all'immagine degli interpreti e del disco... Anche perché la regola rigida del nostro studio è che qualsiasi lavoro facciamo ci deve piacere. Senza falsa modestia posso dire che qualsiasi cosa facciamo tutt'al più può non essere bella, brutta non lo è mai.

L'ideazione e il progetto grafico dipendono esclusivamente da te e dal tuo studio? Hai degli input esterni?
In genere gli input vengono dai discografici o dall'artista stesso o dal produttore. Ci sono case discografiche con uffici pubblicità molto attenti coi quali lavoriamo in stretto contatto; alcuni addetti, poi, sono anche grafici e in questi casi la collaborazione è molto interessante. Naturalmente ci sono anche case che mi lasciano libero di fare quello che voglio, ma è comunque indispensabile il contatto con l'artista. Qualche volta basta una chiacchierata e, magari senza volerlo, l'artista mi dà quei due o tre dati indispensabili per il lavoro. Con i Krisma, Jo Squillo, I Mercenaries, gente con cui lavoro da molto tempo, gli input sono automatici, ci vediamo quasi ogni sera, durante la lavorazione del disco vado in sala, c'è una corrispondenza diretta....

Pensi che i tuoi lavori si riconoscano a prima vista?
A me hanno detto di sì... Per gli ultimi lavori è senz'altro più facile. Da nove mesi a questa parte abbiamo cominciato a studiare, e ad applicare la tecnica «gestaltica», una vecchia tecnica del Bauhaus. È un sistema di composizione delle figure geometriche e dei colori nello spazio. Tutto ciò che si riferisce a questa nuova ondata è molto riconoscibile, anche se negli ultimi tempi ci si sono buttati in molti comprese le riviste femminili «Vogue» e «Donna» ad esempio.

Allora sei proprio convinto che l'abbinamento con la musica consente uno sviluppo creativo più rapido nella grafica?
Su questo non ho dubbi, ma i grandi *media* non se ne accorgono perché se ti va bene lavori su un prodotto che vende centomila copie, mentre per la moda fanno testo i giornali che partono dalle centomila copie in su, raggiungendo un pubblico di lettori almeno cinque volte più grande.
Di conseguenza lo sviluppo della grafica e dell'immagine discografica ha poco riscontro, è ancora un discorso che riguarda pochi addetti ai lavori. Io non ho sicuramente la possibilità di farmi conoscere come un Armani, ma sono anche cosciente delle possibilità di questo lavoro e dei livelli di comunicazione sui quali intervengo.

Quanto conta, in percentuale, una buona copertina sulla resa commerciale di un disco?
Onestamente non lo saprei dire. È una domanda che mi fanno sempre ma non sono mai riuscito a trovare una risposta soddisfacente. Se dovessi regolarmi sul mio comportamento... Se mi piace un disco lo compro indipendentemente dalla copertina, bella o brutta che sia...

Convertino acquirente bada al contenuto della musica e se ne infischia della copertina...
Assolutamente. Io ascolto musica per radio, c'è un pezzo che mi piace, vado in un

negozio di dischi e compro senza preoccuparmi della copertina. Però non conosco i consumatori del sabato che arrivano in negozio con 50mila lire da spendere; in questi casi, forse, una buona copertina può essere determinante.

La copertina, però, può contare molto nella costruzione dell'immagine in un secondo tempo.
Senz'altro, ma questo è un altro discorso. La costruzione del personaggio si riversa anche nella copertina che ormai è diventata un semplice passaggio di un meccanismo complesso. Tu proponi un personaggio attraverso i *media*, lo definisci e poi lo ritrovi, come una conferma, anche nella copertina. In questi casi la copertina è un passaggio importante ma non decisivo; si dipende dall'immagine che è già passata attraverso gli altri *media*. Forse è addirittura sbagliato chiedersi quanto conta la copertina nella resa commerciale di un disco, si poteva domandare qualche anno fa...
Oggi è più adeguato chiedersi quanto fa vendere in più l'immagine complessiva creata intorno a un personaggio.

La copertina, dunque, è un pezzo dell'immagine di un gruppo o di un esecutore. Tu intervieni anche in altre fasi di questo processo?
Beh, io lavoro anche per «Mister Fantasy», sulla grafica, le scenografie. Con lo studio abbiamo realizzato i filmati dei Krisma... Pian piano stiamo arrivando a occuparci di tutti gli elementi dell'immagine: l'abbigliamento, la fotografia, i video per la tv... la copertina del disco è quasi l'ultimo passaggio.

Accetteresti di occuparti di un artista di cui non puoi seguire completamente il processo di formazione dell'immagine?
Io lo accetto anche... ma sbaglia la casa discografica. Comunque sia, dato che sono un grafico, amo lavorare sulla superficie bidimensionale. Mi piace la televisione, mi piace la moda, ma personalmente a me piace lavorare soprattutto su quello... Insomma, se anche mi si chiede solo la copertina a me va bene. Si sbaglia se si slegano i diversi aspetti di composizione dell'immagine. Se si fa fare la copertina a me, il servizio stampa a un altro, il video a un terzo, c'è il rischio di avere ogni volta un risultato diverso.

Torniamo alle copertine e all'evoluzione della grafica. Cosa ne pensi del caso di Roger Dean, richiestissimo e osannato nei primi anni 70 e poi caduto nell'oblio?
È molto semplice: Roger Dean non è un grafico, è un pittore. Il suo gusto ha incontrato quello della musica di quel periodo, per gli Yes andava a pennello, ma nel momento in cui gli orientamenti musicali sono cambiati Dean si è trovato spiazzato. È un pittore molto manierista, per giunta, e non poteva seguire le evoluzioni della grafica... Noi grafici non siamo artisti fini a se stessi, lavoriamo al servizio dell'industria; la scuola stessa ti mette a disposizione delle tecniche specifiche che devi saper applicare per altrettanti servizi specifici. Non partiamo mai dal principio che abbiamo «qualcosa da esprimere», dobbiamo «solo» vestire un oggetto, nel nostro caso il disco, esattamente come un designer «veste» un armadio, una poltrona, un'automobile; naturalmente c'è chi ha più attitudine, talento, chi è più bravo e chi meno...

Cosa vuol dire essere più bravo? Corrispondere di più alla committenza dell'industria?
In linea di massima è così. Devi essere in grado di rispondere alle caratteristiche dell'investimento su un determinato prodotto. Capita, ad esempio, di costruire l'immagine di un personaggio sapendo già che immediatamente non avrà un grosso riscontro commerciale. Si lavora per il futuro, impostando un'operazione che deve dare i suoi frutti in un secondo tempo.

A proposito di unità d'immagine e di riconoscibilità di una linea grafica: cosa pensi della Cramps e delle altre etichette curate da Gianni Sassi?
Sono operazioni che pagano in senso generale, mentre particolarmente, per il singolo artista non funzionano allo stesso modo. Quando nacque la Cramps l'operazione riuscì perfettamente. L'immagine dell'etichetta e la linea grafica molto riconoscibile davano un'impressione di prestigio...
Va anche detto che chi incideva per la Cramps aveva anche di riflesso un'immagine politica, che in quel periodo contava molto.
Oggi non credo sia possibile ripetere un'operazione simile, mettere tutti sotto una stessa scuderia. Adesso, secondo me, ogni artista ha il successo che si merita per le qualità che riesce ad esprimere. Non c'è più bisogno della chioccia...

Quale artista ti deve di più per il contributo che hai dato alla costruzione della sua immagine?
Ci sono artisti ai quali sono particolarmente legato, ma non mi sento di farti un nome... Anzi non lo voglio proprio fare.

Mario Convertino ha 34 anni, è un grafico molto noto e apprezzato nell'ambiente discografico. Il suo carnet comprende lavori per album di Battisti, Battiato, Branduardi, Krisma, Finardi e molti altri.
Il «segno» di Convertino è sempre molto netto e inciso e non disdegna il rischio di forti opposizioni cromatiche. Le sue copertine non sono mai anonime, e questa è forse la ragione principale del suo successo. Lo studio Convertino ha aperto i battenti nel 1973 e ora si occupa anche della realizzazione di filmati promozionali, di scenografie, di servizi stampa e dell'abbigliamento degli artisti sui quali lavora.
Da due anni circa Mario Convertino ha avviato un rapporto di collaborazione e scambio con lo studio Hipgnosis di Londra del quale cura anche gli interessi artistici in Italia.

INTERVISTA A PETER SAVILLE

Come si diventa grafico e artista di copertine in Inghilterra?
Ci sono strade diverse per arrivarci, ma a un certo punto contano più degli strumenti tecnici, la bravura e la fortuna insieme.
Io per esempio mi sono formato in un college di Manchester dove studiavo da grafico per imparare un po' il mestiere. Poi è successo che per amore della musica e per certe fortunate coincidenze conosci gruppi e gente del settore che ti chiede anche come favore di pensare a una copertina di un singolo o di un album. Io mi sono fatto le prime esperienze cercando di individuare i desideri di comunicazione e di immagine di gruppi alle prime armi. Il bagaglio personale è abbastanza diverso, a seconda delle origini di ognuno. Non credo che esista una casistica comune per tutti i nuovi art director e grafici della scena musicale inglese.

C'è molta concorrenza tra voi giovani grafici della «nouvelle vague»?
Sì, anche perché il fatto di ideare e realizzare copertine di dischi non ti dà nessuna qualifica particolare: non sei garantito per nulla, lavori su cose che ti piacciono e ti interessano ma non sai se la stessa cosa potrai farla anche domani. Giovani con buone idee in giro ce ne sono e poi restano in pista i soliti personaggi che si tramandano dagli anni 70 o addirittura 60. Sarebbe più difficile per noi trovare degli spazi se il circuito della musica non vivesse tutti questi fermenti e le varie innovazioni che richiedono automaticamente un adeguamento anche dei linguaggi grafici. Io sono molto soddisfatto di poter seguire una musica che sento tanto vicina e quindi la Factory mi calza benissimo, così come la Dindisc dove trovo gruppi che mi piacciono e per i quali diventa più naturale lavorare. È certo comunque che nel mio settore come altrove molto dipende dall'iniziativa individuale: bisogna muoversi, proporre, sperimentare, accettare il rischio di impegnarsi a vuoto, ma dimostrare una certa vitalità. Io, per esempio, sono partito disegnando una locandina per un concerto e la cosa quattro-cinque anni fa mi sembrava già un grosso successo. Venivo fuori dal college dove avevo fatto pratica da disegnatore e ancora non mi rendevo conto quanto fosse importante conoscere il mercato. Ecco, quando inizi e fai tutto per passione rischi di essere soltanto istintivo e non sempre fai bene.

Quella che tu racconti è la condizione di un grafico dgli anni 80: ma nei 50, per esempio, ai primordi della copertina illustrata, qual era l'atteggiamento dei discografici?
Direttamente non so nulla perché non ero ancora nato, ma spulciando vecchie collezioni per curiosità e studio ho capito che si era davvero a uno stadio primitivo: le case discografiche avevano i loro studi grafici che si occupavano di tutto, senza alcun collegamento con i musicisti e con i loro dischi che vedevano il prodotto finito solo nei negozi e non potevano intervenire.
Questo metodo di lavoro era semplicemente orribile e devo dire che nel caso delle grandi case discografiche non è del tutto stato cancellato, nel senso che gli studi grafici interni spesso hanno uno strapotere a disposizione. Per quello che riguarda i musicisti un loro coinvolgimento sulla formulazione dell'immagine è un fatto recente e riguarda solo i più intelligenti e sensibili. Purtroppo chi comanda e pretende di pilotare certe decisioni nelle *big companies* è il direttore del marketing che, in nome delle previsioni di vendita, pretende di fare il bello e il cattivo tempo.

Come si può valorizzare il vostro ruolo e mutare questa mentalità dominante?
I discografici il più delle volte sono dei retrogradi, vogliono la cosa più facile, più veloce, più economica e pensano solo al possibile contributo e successo pubblicitario e chi appena si scosta da questo schema si scontra con le vecchie concezioni burocratiche. La soluzione più semplice sarebbe quella di abbattere il sistema delle

grandi case discografiche, ma scardinare certi meccanismi non è facile.

Tu hai ancora grossi problemi nel proporre qualcosa fuori dalle etichette indipendenti con cui solitamente lavori?

Adesso certo è meno difficile di una volta, quando il conflitto era durissimo: ricordo quando pensai alla prima copertina degli Orchestral Manoeuvres. Convincere il responsabile di turno a produrre una copertina blu con dei buchi trasversali fu un'impresa: non ne voleva sapere e rifiutava di credere che si potessero vendere dischi anche grazie alla curiosità per un progetto simile. Dopo alcune trovate abbastanza originali si sono ricreduti e adesso i discografici che sono simili in tutto agli altri commercianti, mi chiedono idee per lanciare questo o quell'artista: e qui nasce un nuovo problema, perché le invenzioni non mi vengono in mente ogni giorno. Per i creativi che agiscono in questo campo non è semplice mantenere un buono standard: le sollecitazioni sono numerose, si rischia il logorio e l'inaridimento in pochi anni, perché non puoi essere un normale impiegato che lavora fino alle sei e ritorna il giorno dopo, qui le scadenze e i ritmi sono irregolari e quindi ancora più ossessivi.

Neppure a Londra si sono costituite ultimamente scuole grafiche per un collegamento specifico con il mercato musicale?

No, non mi sembra. Ogni college nel suo dipartimento artistico ha una sezione dedicata al design e la cosa migliore è fare un buon corso di preparazione generale. Nella copertina infatti rientrano elementi che nessun professore può insegnare: inoltre sarebbe sbagliato specializzarsi solo sull'immagine discografica, perché il mercato è in continua evoluzione e un artista grafico per sua stessa definizione non può fossilizzarsi.

Ci sono a tuo avviso musicisti che grazie alle copertine si sono saputi identificare attraverso immagini omogenee?

Più sei grande e famoso, più questo processo diventa naturale: per i Beatles e per i Rolling Stones, ad esempio, applicare rispettive intuizioni e indicazioni grafiche a un disco non deve aver costituito un problema. Nel loro ruolo hanno avuto la possibilità di commissionare la copertina a grandi artisti (per gli Stones a Andy Warhol) ed è chiaro che in certe condizioni lavorare per curare la propria immagine diventa più agevole.

Negli anni 70 coloro che più hanno contribuito a diffondere e qualificare la grafica di copertina inglese sono stati Hipgnosis e Roger Dean con le loro opere molto personali: adesso le cose sono cambiate. Perché?

Mi ricordo bene le loro copertine perché io ero solo un ragazzino e compravo i dischi degli Yes e degli altri: lo studio Hipgnosis era il migliore di tutti, lavorava moltissimo per gruppi e case discografiche disposti a pagare un sacco di soldi pur di assicurarsi il suo marchio. Una copertina economica di Hipgnosis costava almeno quattro volte una normale preparata da un altro studio.

Per fare delle proporzioni precise basti pensare che il mercato valuta una copertina media tra le 1.000 e le 1.500 sterline (e questa è più o meno anche la mia quotazione), mentre se vuoi un lavoro di Hipgnosis la tariffa va dalle 5 fino alle 20 mila sterline. Con quei prezzi non è da stupirsi che sempre meno i discografici si rivolgano a Hipgnosis: per gruppi come Pink Floyd, Wings e pochi altri certi stanziamenti si possono ancora fare, ma in genere si respira aria di crisi, il contenimento delle spese è la parola d'ordine, spesso ti dicono quanto vogliono pagare e di conseguenza devi allestire la copertina. Hipgnosis era grandioso, aveva una struttura straordinaria, con molto personale, dispendiosa da mantenere: per questo oggi è un po' in crisi, non ha saputo mediare secondo le esigenze del *business* nel tempo e si è trovato spiazzato, fuori moda.

E Roger Dean?
Roger è un pittore eccellente, con uno stile tanto personale da non poter essere mantenuto a lungo. Ripetersi e legarsi a un proprio linguaggio può essere pericoloso: se curi l'immagine degli Yes è chiaro che gli Stones o un'altra band di nome non possono chiederti nulla, altrimenti si creerebbe una sovrapposizione e poi un pittore come Dean non può spaziare in altri settori legati alla musica perché troppo riconoscibile e per cui alla lunga trova enormi difficoltà.

Quando realizzate una copertina in quanti ci lavorate?
Nella maggior parte dei casi faccio tutto io, non per egocentrismo, ma per comodità nei tempi e nei rapporti con musicisti e discografici: inoltre mi piace seguire il lavoro sin dai primi passi, la fotografia, l'artwork, il design, la composizione e i passaggi in tipografia. Se il concepimento di una copertina mi viene richiesto in ogni particolare allora tendo a svolgere il lavoro in tutti i dettagli, altrimenti se i musicisti hanno già dei desideri e un'impostazione da seguire chiamo un bravo fotografo e altri artisti che abbiano un buon *feeling* creativo rispetto al mio: è necessario che si lavori in armonia, entrando in contatto con la musica.
Per l'ultima copertina dei Roxy Music ho impiegato molto tempo, perché sono stato in sala di registrazione, ho parlato a lungo con Bryan Ferry, abbiamo discusso fin nei minimi particolari, ma la cosa non mi preoccupa: se tutti hanno collaborato alla fine l'esito sarà eccellente ed è questo a cui in fondo bisogna puntare.

Peter Saville ha 24 anni, è una specie di *enfant prodige* nel campo della copertina discografica. È responsabile dello studio Grafica industria dove concepisce e realizza i suoi lavori, solitamente per gruppi e musicisti del settore del nuovo rock. È interessante sottolineare come Saville riesca a conservare una ottima sintonia con gli artisti cosiddetti progressivi, con gli esponenti più stimolanti della *new wave* inglese, ottenendo una corrispondenza di eleganza e raffinatezza tra immagine e musica. Talvolta questo sodalizio è molto felice, come nel caso della produzione Factory, etichetta indipendente tra le più intelligenti, di cui Saville è l'art director, e quella di Dindisc con cui collabora strettamente.
Tra le principali copertine firmate da Saville troviamo i Joy Division, New Order, Orchestral Manoeuvres in the Dark, Ultravox e gli ultimi Roxy Music.

ANNI CINQUANTA-SESSANTA

Bill Haley con il suo ridicolo ricciolo imbrillantinato sulla fronte canta *Rock Around The Clock*, Alan Freed il padre di tutti i disc-jockey inventa il termine «Rock 'n Roll», Elvis Presley e gli altri contribuiscono in maniera determinante alla più grande rivoluzione nella storia della musica popolare.
L'epoca maccartista è ancora in atto, i *mass-media* stanno prendendo il sopravvento, la pubblicità muove alla conquista del mercato. I *teen-agers* hanno voglia di vedere stampato sui dischi il volto del loro idolo, oltre che ascoltarlo alla radio o guardarlo alla tv e, dato che sono e saranno loro la vera fortuna dei discografici, vengono accontentati.
I volti di quegli anni rispecchiano il contenuto musicale: la bocca spalancata e il viso bagnato con finte goccioline di sudore di Little Richard sono l'esatta raffigurazione di un rock urlato e sofferto; la calma espressione di Pat Boone, lindo e ben pettinato, rispecchia lo stile canoro rassicurante dell'altra faccia dell'America (quella ufficiale); Elvis Presley, rassettato di fresco, sorpreso al pianoforte, con il distintivo del Lion's Club all'occhiello, sta a significare che il «ribelle», in fondo, è un bravo ragazzo e che anche le mamme possono comprare i suoi dischi.
L'abilità dei *businnes men*, pervasa da un plateale ma spontaneo e divertente kitsch, dà i suoi frutti e l'immagine di copertina, oltre che il suo contenuto, vende milioni di copie.

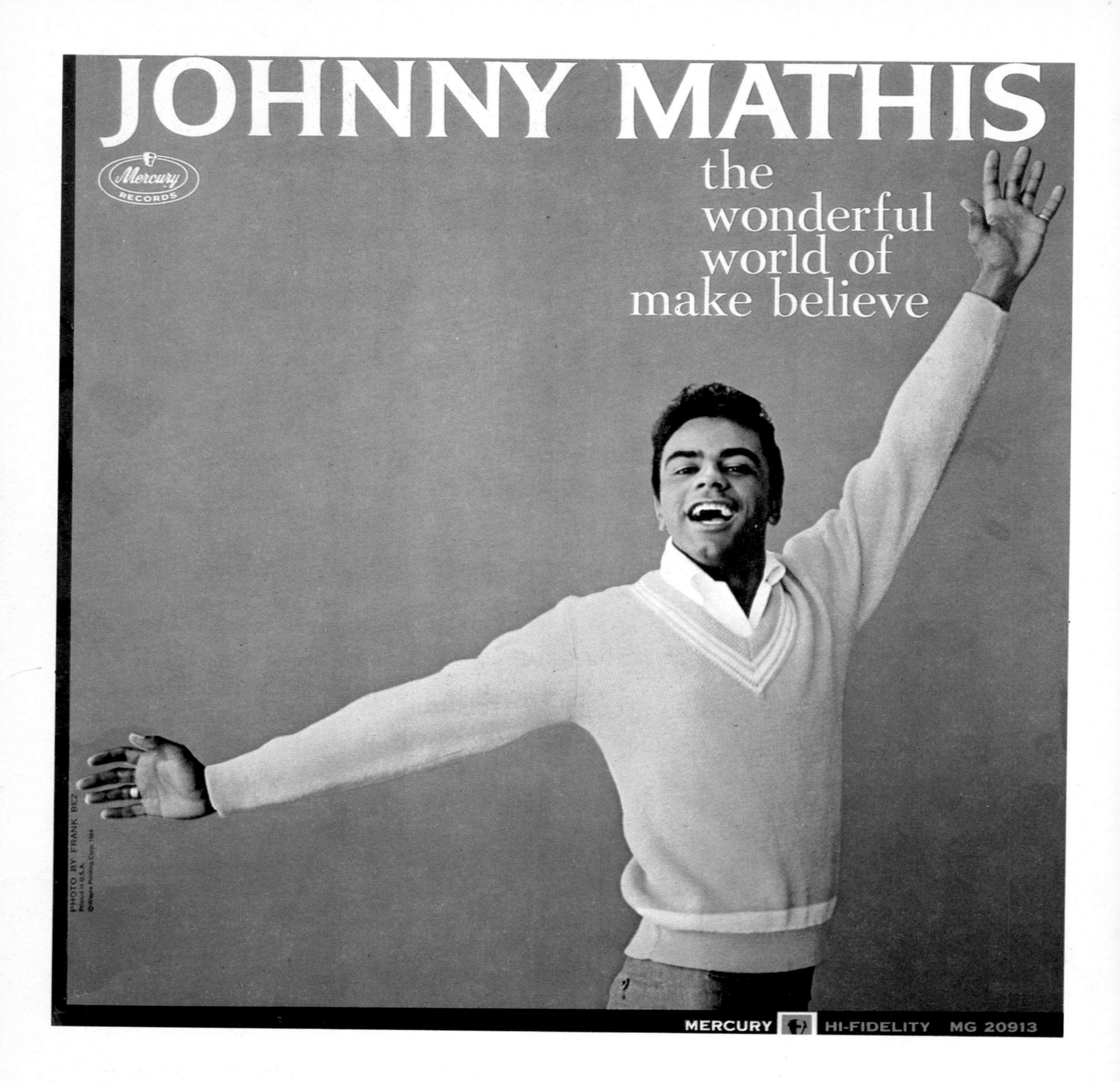

☐ Interprete JOHNNY MATHIS - Album THE WONDERFUL WORLD OF MAKE BELIEVE - Casa MERCURY - Foto FRANK BEZ

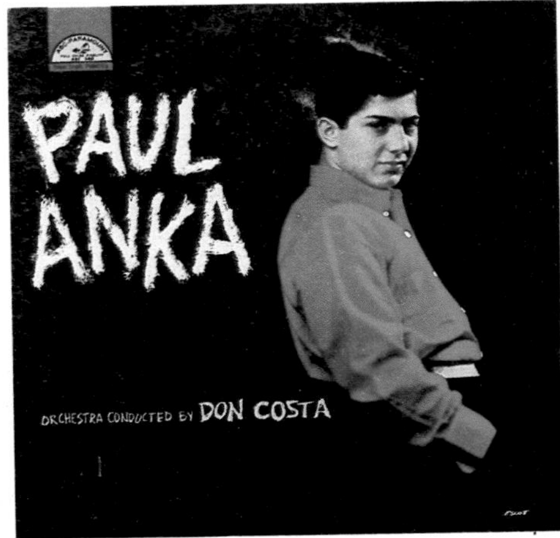

☐ Interprete THE FLEETWOODS - Album DEEP IN A DREAM - Casa TOP RANK ☐ Interprete THE BROTHERS FOUR - Album SING OF OUR TIMES - Casa CBS ☐ Interprete HARRY BELAFONTE - Album THE MANY MOODS OF BELAFONTE - Casa RCA - Foto PETER PERRI ☐ Interprete PAUL ANKA - Album PAUL ANKA - Casa ABC - Design FRAN SCOTT - Foto MYRON MILLER, HOWELL CONANT STUDIO ☐ Interprete ELVIS PRESLEY - Album HIS HAND IN MINE - Casa RCA ☐ Interprete GENE PITNEY - Album BLUE GENE - Casa STATESIDE/1963 - Design NORMAN ART STUDIOS

☐ Interprete PAT BOONE - Album PAT BOONE SINGS IRVING BERLIN - Casa DOT ☐ Interprete PEREZ PRADO - Album DANCE PARTY - Casa SPINORAMA ☐ Interprete NEIL SEDAKA - Album NEIL SEDAKA - Casa RCA ☐ Interprete CLIFF RICHARD - Album THE YOUNG ONES - Casa COLUMBIA/1962

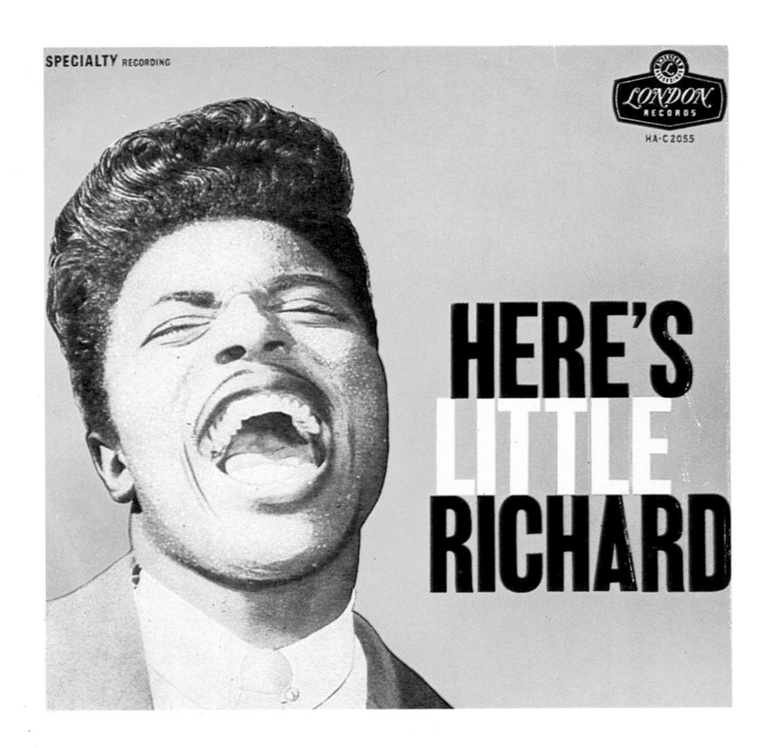

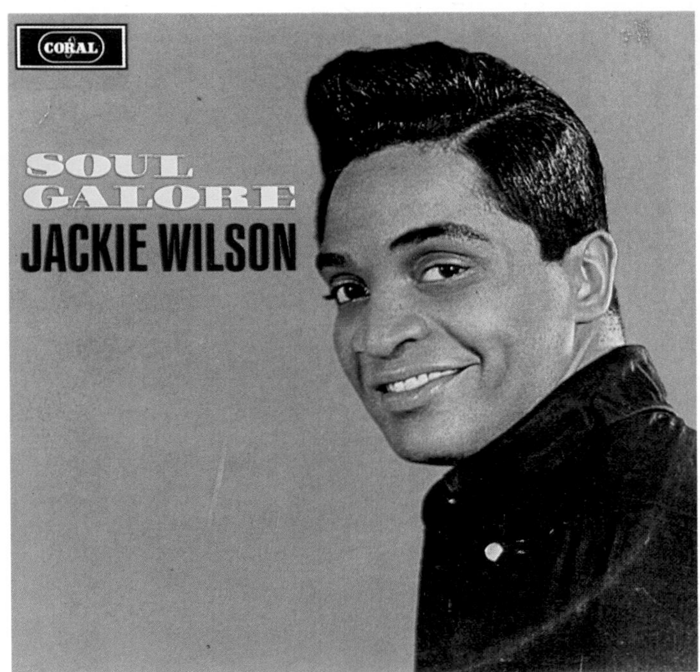

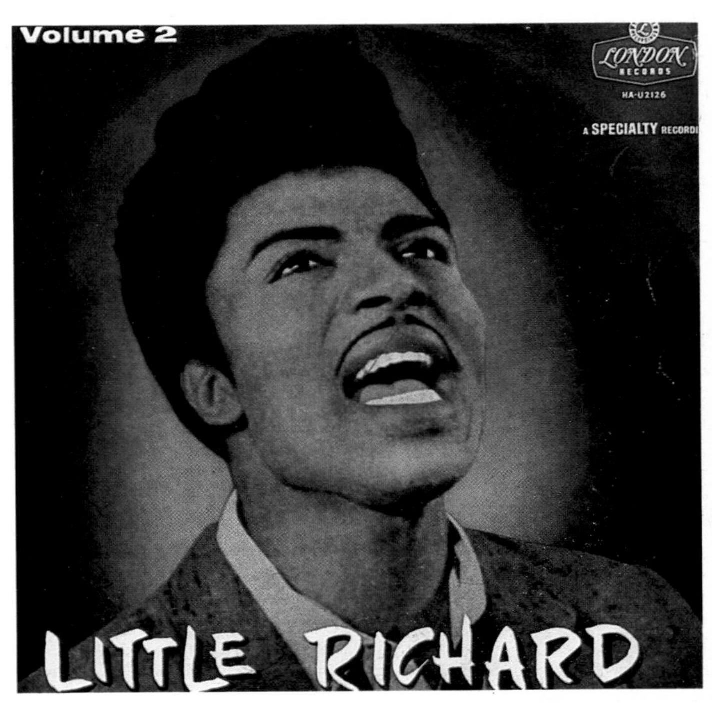

☐ Interprete LITTLE RICHARD - Album HERE'S LITTLE RICHARD - Casa LONDON - Design THADD ROARK & PAUL HARTLEY ☐ Interprete JACKIE WILSON - Album SOUL GALORE - Casa CORAL ☐ Interprete BRENDA LEE - Album MISS DYNAMITA - Casa CORAL ☐ Interprete LITTLE RICHARD - Album VOLUME 2 - Casa LONDON

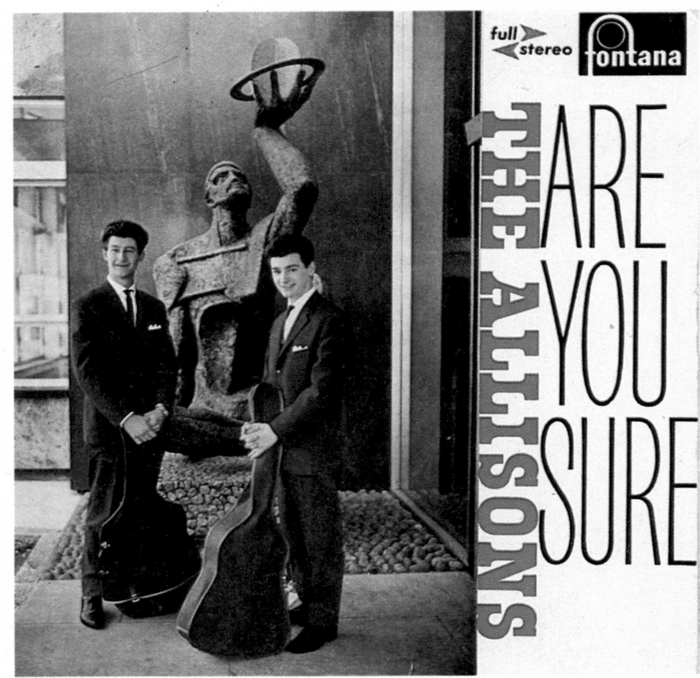

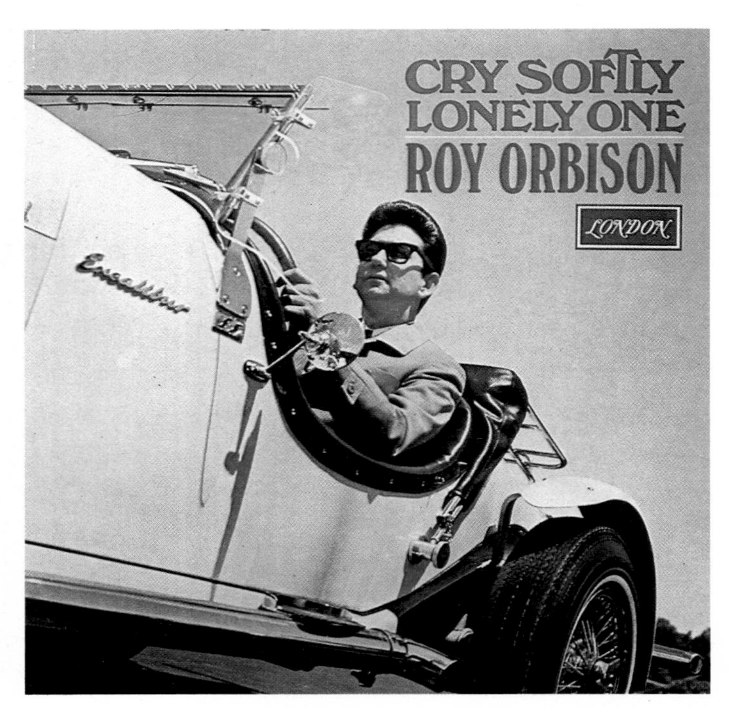

☐ Interprete THE KINGSTON TRIO - Album GOIN' PLACES - Casa CAPITOL/1961 ☐ Interprete THE ALLISONS - Album ARE YOU SURE - Casa FONTANA ☐ Interprete ROY ORBISON - Album THE CLASSIC ROY ORBISON - Casa LONDON - Design ACY LEHMAN - Foto JOHN ROSS ☐ Interprete ROY ORBISON - Album CRY SOFTLY LONELY ONE - Casa LONDON

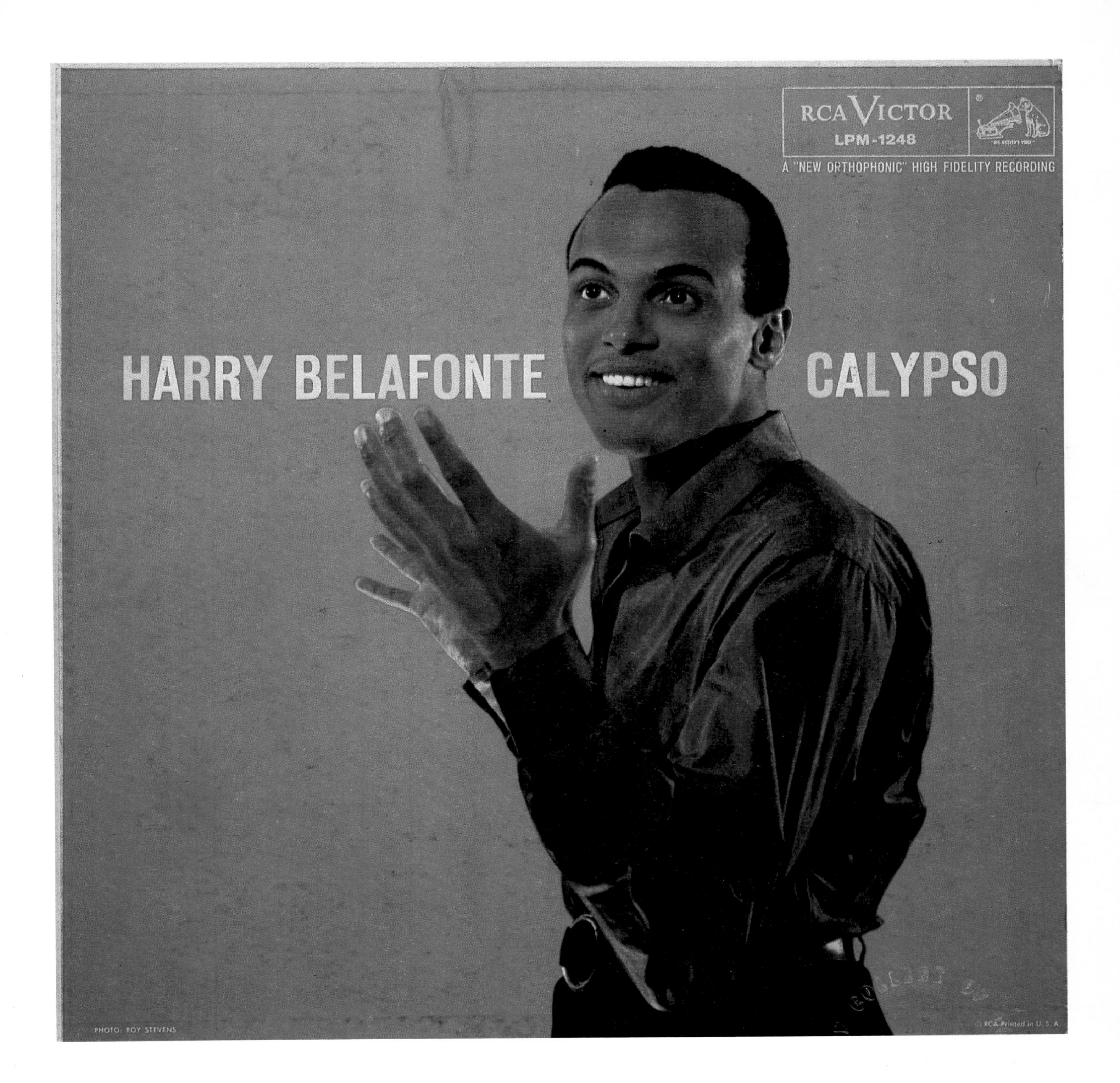

☐ Interprete HARRY BELAFONTE - Album CALYPSO - Casa RCA/1956 - Foto ROY STEVENS

JAZZ

Dal punto di vista della tecnica e dell'invenzione grafica le copertine di *jazz* hanno da sempre rappresentato un punto di riferimento preciso per gli amanti della bella immagine.
Ciò perché per un contenuto stilisticamente perfetto e dedicato a una élite colta in grado di apprezzarlo fino in fondo si è pensata spesso una immagine esterna altrettanto raffinata e di qualità.
Fin dagli anni 40 sono proprio i designer e gli art-director dei long playing di *jazz* a fare scuola, a essere fra i primi a viaggiare un palmo più in alto rispetto alla produzione generica e pasticciona della *popular-music*.
È interessante notare come per artisti di colore, spesso, vengano pensate e realizzate le migliori copertine, anche in anni nei quali avere la pelle nera equivaleva a essere oggetto di continue discriminazioni.
I ritratti di Miles Davis, come le curatissime cover di Thelonius Monk, solo per fare un paio di esempi, hanno fatto epoca, ma è pure da sottolineare come nel campo di un jazz più giovane (quello dell'etichetta tedesca Ecm), l'attenzione stilistica rasenta una precisione maniacale, raggiungendo una qualità che non ha attualmente uguali.

☐ Interprete GERRY MULLIGAN QUARTET - Album PARIS CONCERT - Casa WORLD PACIFIC RECORDS/1957 - Design WILLIAM CLAXTON

☐ Interprete THE DAVE BRUBECK QUARTET - Album NEWPORT 1958 - Casa FONTANA ☐ Interprete DUKE ELLINGTON AND JOHNNY HODGES - Album BACK TO BACK - Casa VERVE - Design SHELDON MARKS - Foto BURT GOLDBLATT ☐ Interprete SINATRA-BASIE - Album AN HISTORIC MUSICAL FIRST - Casa REPRISE ☐ Interprete ERROL GARNER - Album MOVE! - Casa FONTANA - Foto GILBERT PETIT ☐ Interprete ELLA FITZGERALD - Album THE BEST OF ELLA FITZGERALD - Casa DECCA ☐ Interprete ELLA FITZGERALD AND LOUIS ARMSTRONG - Album ELLA AND LOUIS - Casa LA VOCE DEL PADRONE

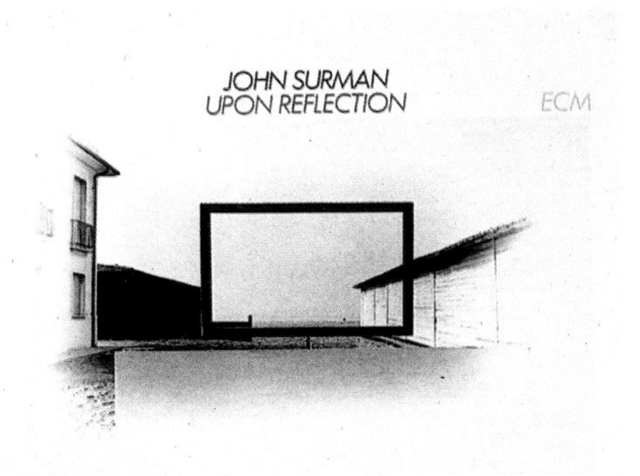

☐ Interprete MIROSLAV VITOUS - Album FIRST MEETING - Casa ECM/1980 - Design JURGEN PESCHEL - Foto JOEL MEYEROWITZ ☐ Interprete BILL CONNORS - Album SWIMMING WITH A HOLE IN MY BODY - Casa ECM/1980 - Design BARBARA WOJIRSCH, DIETER REHM - Foto JOEL MEYEROWITZ ☐ Interprete OLD AND NEW DREAMS - Album PLAYING - Casa ECM/1981 - Design BARBARA WOJIRSCH - Foto LUIGI GHIRRI ☐ Interprete JOHN SURMAN - Album UPON REFLECTION - Casa ECM/1979 - Design DIETER REHM - Foto CHRISTIAN VOGL ☐ Interprete STEVE KUHN/SHEILA JORDAN BAND - Album PLAYGROUND - Casa ECM/1980 - Design JURGEN PESCHEL - Foto JOEL MEYEROWITZ ☐ Interprete TERJE RYPDAL - Album WAVES - Casa ECM/1978 - Foto KLAUS KNAUP

☐ Interprete ARTISTI VARI - Album 14 BLUE ROADS TO ST. LOUIS - Casa RCA/1958 - Foto CARL FISCHER ☐ Interprete THE EUREKA BRASS BAND OF NEW ORLEANS - Album JAZZ AT PRESERVATION HALL - VOL. 1 - Casa ATLANTIC/1963 - Foto LEE FRIEDLANDER - Design MARVIN ISRAEL ☐ Interprete JOHN COLTRANE - Album BLUE TRAIN - Casa BLUE NOTE - Design REID MILES - Foto FRANCIS WOLFF ☐ Interprete MILES DAVIS - Album MILES DAVIS VOL. 1 - Casa BLUE NOTE - Design HERMANSANDER/MILES - Foto FRANCIS WOLFF

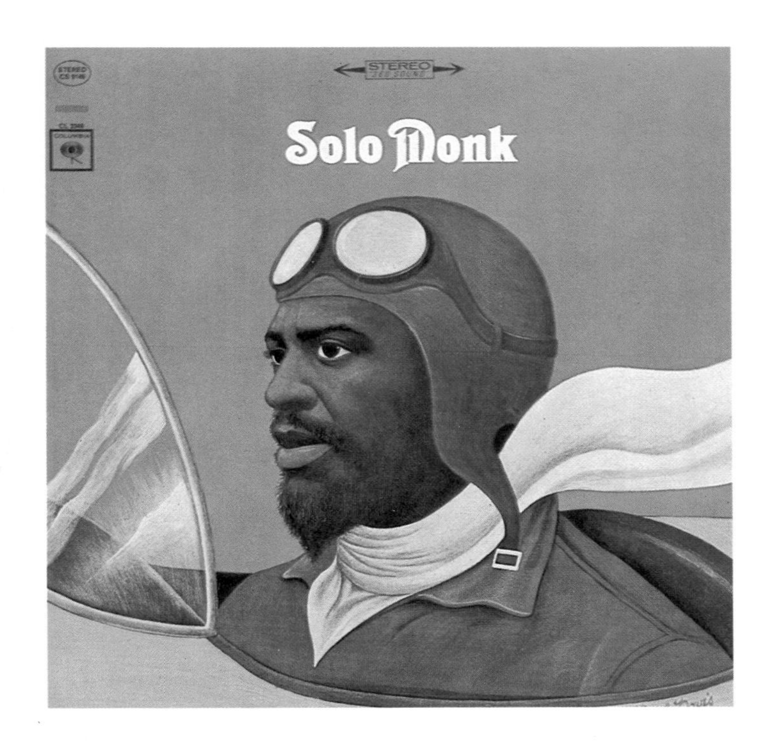

☐ Interprete THELONIOUS MONK - Album SOLO MONK - Casa COLUMBIA/1965 - Design JERRY SMOKLER - Disegno PAUL DAVIS ☐ Interprete THELONIOUS MONK - Album MONK'S BLUES - Casa COLUMBIA/1969 - Design JOHN BERG - Disegno PAUL DAVIS ☐ Interprete THELONIOUS MONK - Album UNDERGROUND - Casa COLUMBIA/1968 - Design - JOHN BERG AND RICHARD MANTEL - Foto HORN/GRINER ☐ Interprete THELONIOUS MONK - Album IN PERSON - Casa MILESTONE/1976 - Design PHIL CARROLL - Foto JIM MARSHALL

☐ Interprete ARILD ANDERSEN - Album LIFELINES - Casa ECM/1981 - Design KLAUS DETJEN - Foto GABOR ATTALAI ☐ Interprete COLLIN WALCOTT, DON CHERRY, NANA VASCONCELOS - Album CODONA - Casa ECM/1979 - Design & foto FRIEDER GRINDLER ☐ Interprete CARLA BLEY -Album SOCIAL STUDIES - Casa WATT WORKS/1981 - Design & foto PAUL Mc DONOUGH ☐ Interprete CLIFFORD BROWN - Album BROWNIE EYES - Casa UNITED ARTISTS/1974 - Design BOB CATO

PSICHEDELICA

Con il periodo psichedelico le copertine dei dischi cominciano ad assumere una soggettività piena, una vera e propria anticipazione e integrazione del contenuto della musica. Le copertine di gruppi come i Pink Floyd o i Grateful Dead sono molto più che un'allusione alla musica, sono un altro pezzo, un prolungamento dello stesso discorso svolto nel disco. Nelle copertine si esalta l'aspetto del gioco visivo, dei dettagli nascosti o dissimulati poco sotto l'apparenza esplicita.

Il movimento psichedelico, forse, fu soltanto la scoperta delle possibilità di amplificazione delle facoltà percettive; una possibilità aperta dall'uso delle droghe leggere come hashish e marihuana e soprattutto dalla diffusione dell'Lsd. Lo sviluppo stesso dei caratteri e dei *Logos* si può far discendere da questa nuova e dilatata sensibilità.

Si sconvolge completamente l'impaginazione simmetrica, le scritte corrono come flussi sulla superficie, si utilizzano filtri multicolor, si cerca la distorsione dell'immagine, il trompe d'œil trionfa. Le copertine degli album nel periodo della psichedelia sono indubbiamente il veicolo più efficace per la diffusione della nuova tendenza. Il «viaggio» verso la nuova coscienza comincia con un disco sul piatto, lo spinello in mano, la copertina sotto gli occhi.

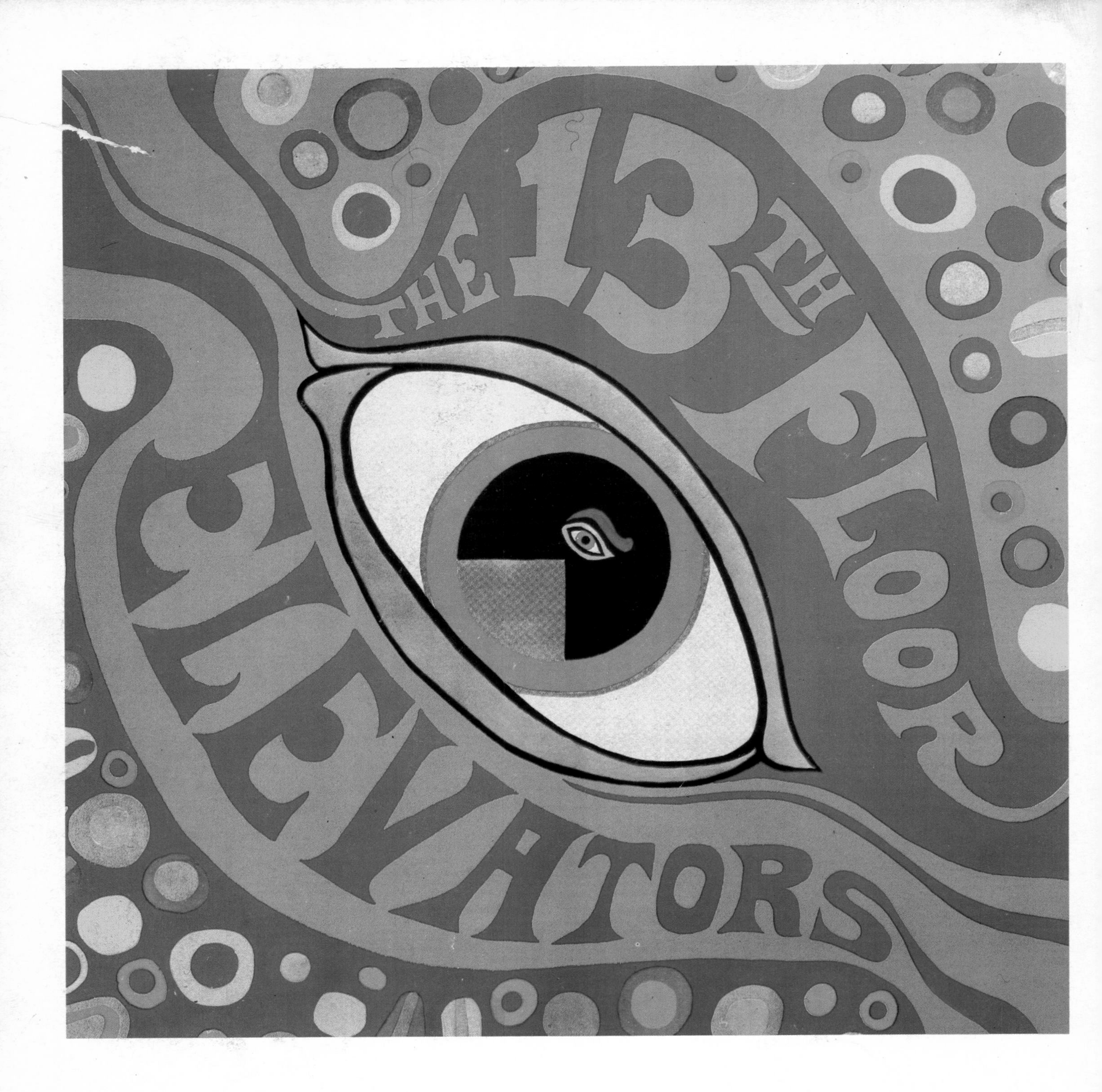

☐ Interprete THE 13th FLOOR ELEVATORS - Album THE 13th FLOOR ELEVATORS - Casa RADARSCOPE RECORDS - Design JOHN CLEVELAND

☐ Interprete JEFFERSON AIRPLANE - Album CROWN OF CREATION - Casa RCA/1968 - Design J. VAN HAMERSVELD - Foto HIRO

☐ Interprete CREAM - Album FRESH CREAM - Casa RSO/1966 - Design PARAGON PUBLICITY AND PUBLIC RELATIONS Ltd. ☐ Interprete JIMI HENDRIX - Album ARE YOU EXPERIENCED - Casa POLYDOR/1967 ☐ Interprete THE SEEDS - Album THE SEEDS IN CONCERT - Casa GNP CRESCENDO RECORD CO./1969 ☐ Interprete IRON BUTTERFLY - Album IN-A-GADDA-DA-VIDA - Casa ATLANTIC/1971 - Design LORING EUTEMEY

☐ Interprete TEN YEARS AFTER - Album WATT - Casa DERAM/1970 - Design JOHN FOWLIE ☐ Interprete CREAM - Album WHEELS OF FIRE -Casa RSO/1968 - Design STANISLAW ZAGORSKI - Disegno MARTIN SHARP

OLD FASHIONED

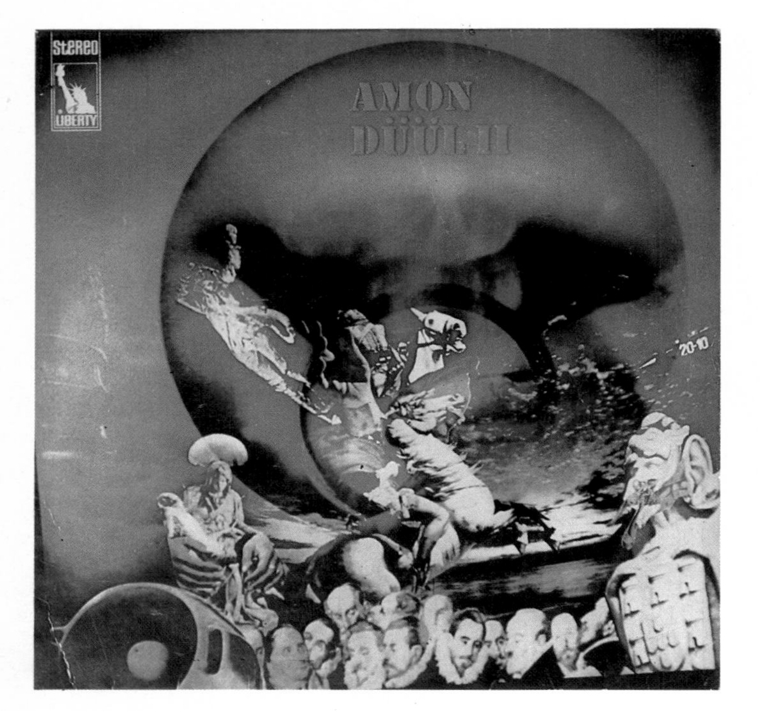

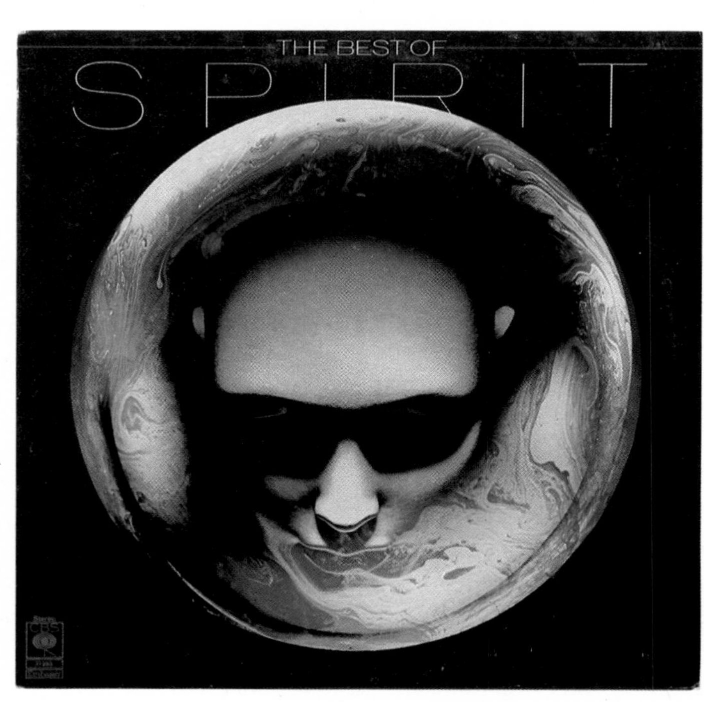

☐ Interprete AMON DUUL I I - Album TANZ DER LEMMINGE - Casa LIBERTY/1971 - Design F.—U. + F.—J. ROGNER ☐ Interprete GRATEFUL DEAD - Album ANTHEM OF THE SUN - Casa WARNER BROS./1967 - Design BILL WALKER ☐ Interprete SPIRIT - Album TWELVE DREAMS OF DR. SARDONICUS - Casa EPIC - Design Mc CAULEY AND JOHN LOCKE - Foto IRA COHEN ☐ Interprete SPIRIT - Album THE BEST OF SPIRIT -Casa CBS/1968 - Design ROSLAV SZAYBO

☐ Interprete VISAGE - Album VISAGE - Casa POLYDOR/1980 - Design VISAGE - Disegno IAIN GILLIES - Foto PETER ASHWORTH AND ROBIN BEECHE ☐ Interprete AUDIENCE - Album THE HOUSE ON THE HILL - Casa CHARISMA/1971 - Design & foto HIPGNOSIS ☐ Interprete ARTISTI VARI - Album SENTIMENTAL JOURNEY - Casa TELEFUNKEN/1981 ☐ Interprete DAVID GRISMAN - Album HOT DAWG - Casa HORIZON/1979 - Design CHUCK BEESON - Disegno BRIAN DAVIS

Se nel lontano 500 a Hieronymus Bosch, pittore di grande talento e fantasia, avessero predetto che il suo *Giardino delle Delizie* sarebbe servito come copertina per un Long Playing dei Pearls Before Swine, a parte non capire di cosa gli stessero parlando, avrebbe certamente scosso la testa in segno di disapprovazione. Invece non solo i dipinti di Bosch vengono oggi utilizzati per risolvere la busta di un 33 giri, ma quelli di artisti di ogni epoca e stile: da Leonardo (la sua ultima cena è profanata dagli Stranglers) a Ernst (Road to ruin di John e Beverley Martyn) a Magritte (Beck Ola di Jeff Beck).
Tradizionalmente l'uso del quadro d'autore appartiene agli album di musica classica. Viene spontaneo e consequenziale scegliere un bel dipinto per la copertina di un disco di Beethoven, di Bach o di Mozart; niente di più facile, quindi, usare la *Primavera* del Botticelli per le *Quattro Stagioni* di Vivaldi o *l'Interno di una Galleria d'Arte* di Hans Jordaens per i *Quadri di una Esposizione* di Mussorgsky.
Da qualche anno, forse in considerazione del fatto che la musica leggera spesso non lo è poi così tanto, anche gli art director pop si sono avvicinati all'arte pittorica tradizionale usandola direttamente o dissacrandola con interventi profani.

☐ Interprete THE VELVET UNDERGROUND & NICO - Album THE VELVET UNDERGROUND & NICO - Casa VERVE/1967 - Disegno ANDY WARHOL

BXN 26478

Beck-Ola

□ Interprete THE JEFF BECK GROUP - Album BECK-OLA - Casa EPIC/1969 - Dipinto RENE MAGRITTE: «LA CHAMBRE D'ECOUTE»

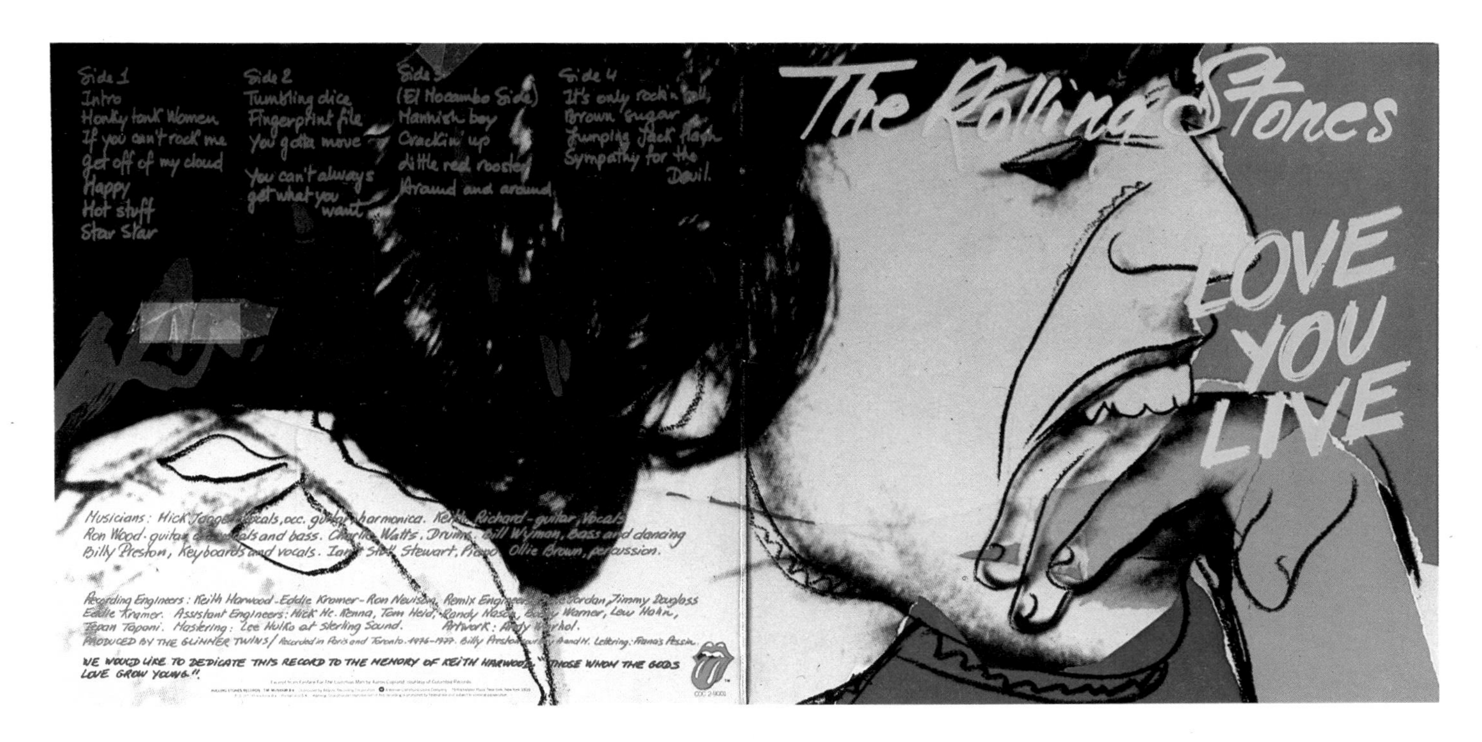

☐ Interprete THE ROLLING STONES - Album LOVE YOU LIVE - Casa ROLLING STONE RECORDS/1977 - Design ANDY WARHOL ☐ Interprete THE BAND - Album MUSIC FROM BIG PINK - Casa CAPITOL/1968 - Dipinto BOB DYLAN ☐ Interprete THE WHO - Album FACE DANCES - Casa RCA/1981 - Design PETER BLAKE - Dipinto RITRATTI DI PETE TOWNSHEND: BILL JACKLIN, TOM PHILLIPS, COLIN SELF, RICHARD HAMILTON - RITRATTI DI ROGER DALTREY: MIKE ANDREWS, ALLEN JONES, DAVID INSHAW, DAVID HOCKNEY - RITRATTI DI JOHN ENTWISTLE: CLIVE BARKER, R.B. KITAJ, HOWARD HODGKIN, PATRICK CAULFIELD - RITRATTI DI KENNEY JONES: PETER BLAKE, JOE TILSON, PATRICK PROCKTOR, DAVID TINDLE

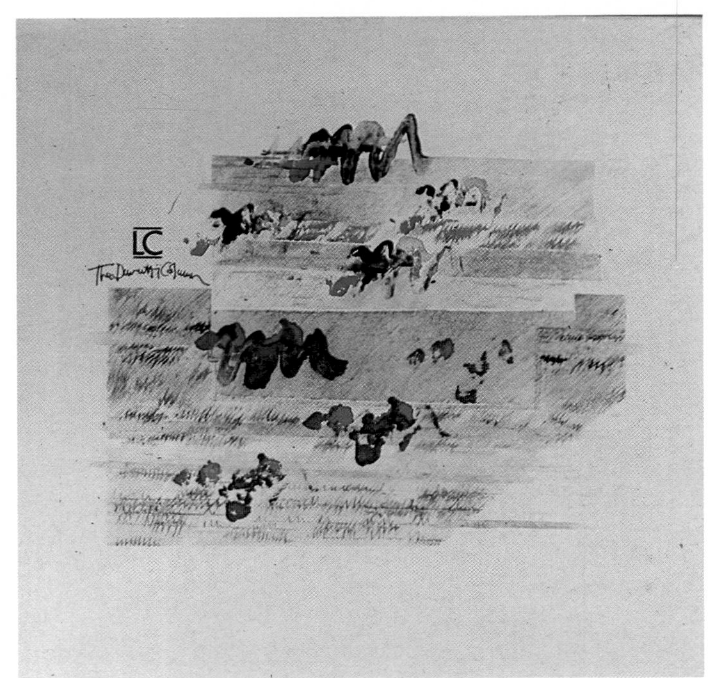

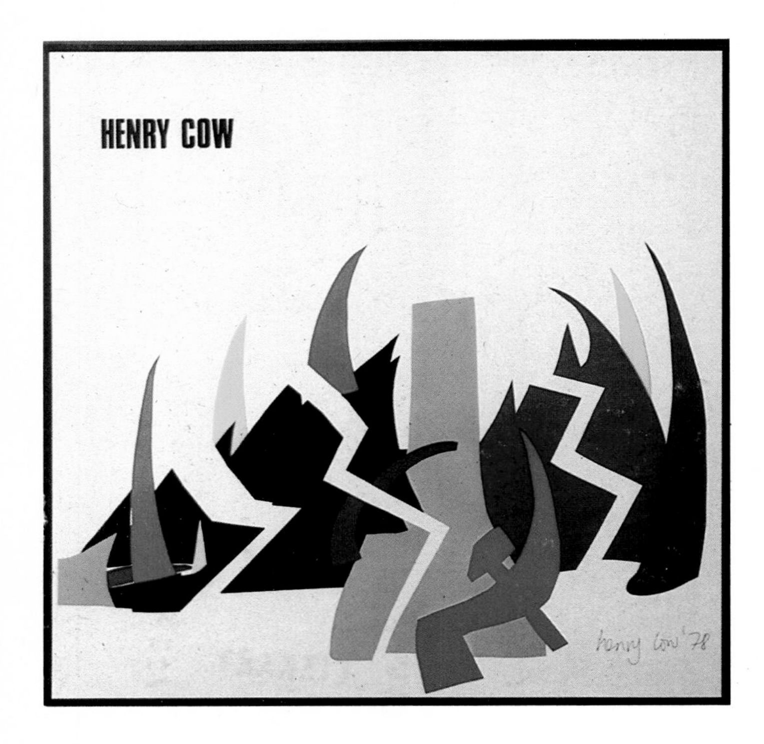

☐ Interprete EBERHARD WEBER - Album FLUID RUSTLE - Casa ECM/1979 - Design MAJA WEBER ☐ Interprete THE DURUTTI COLUMN - Album LC - Casa FACTORY/1981 Design LES THOMPSON - Disegno JACKIE WILLIAMS ☐ Interprete HENRY COW - Album WESTERN CULTURE - Casa ORCHESTRA/1978 - Design CHRIS CUTLER ☐ Interprete BRIAN ENO - Album ANOTHER GREEN WORLD - Casa EG/POLYDOR/1975 - Dipinto TOM PHILLIPS: «AFTER RAPHAEL» (particolare)

☐ Interprete PEARLS BEFORE SWINE - Album PEARLS BEFORE SWINE - Casa ESP/1967 - Dipinto HIERONYMUS BOSCH: «IL GIARDINO DELLE DELIZIE» (particolare) ☐ Interprete JOHN & BEVERLEY MARTYN - Album THE ROAD TO RUIN - Casa ISLAND/1970 - Design NIGEL WAYMOUTH - Incisione MAX ERNST: «UNE SEMAINE DE BONTÉ» ☐ Interprete ELTON JOHN - Album BLUE MOVES - Casa ROCKET RECORD CO./1976 -Dipinto PATRICK PROCKTOR ☐ Interprete JONI MITCHELL - Album MINGUS - Casa ASYLUM RECORDS/1979 - Dipinto JONI MITCHELL

☐ Interprete PROCOL HARUM - Album EXOTIC BIRDS AND FRUIT - Casa CHRYSALIS/1974 - Dipinto JAKOB BOGDANI ☐ Interprete THE SOUND - Album FROM THE LION'S MOUTH - Casa KOROVA/1981 - Design HOWARD HUGHES - Dipinto BRITON RIVIERE: «DANIEL IN THE LION'S DEN» ☐ Interprete PEARLS BEFORE SWINE - Album BALAKLAVA - Casa ESP/1968 - Design MAUREEN KINTZ - Dipinto - BREUGHEL IL VECCHIO: «IL TRIONFO DELLA MORTE» (particolare) ☐ Interprete SANTANA - Album MARATHON - Casa CBS/1979 - Design DEVADID CARLOS SANTANA - Dipinto DIPINTO GRECO

LOGO

Non sappiamo se quando hanno provato per la prima volta a dare un titolo a un loro album qualche fan abbia protestato, è certo però che dopo quell'esperimento i Chicago sono tornati sui loro passi e hanno ripreso a sfornare album contrassegnati dal loro solo nome. Quella dei Chicago è forse la dimostrazione più clamorosa di come un «logo» azzeccato possa fare la fortuna di un gruppo o di un personaggio. Fino a tutti gli anni 70 l'investimento d'immagine sul «marchio» di un gruppo ha avuto una parte molto rilevante. Basta pensare alla diffusione di gadget, patacche e adesivi del logo dei Kiss o della linguaccia dei Rolling Stones: veri e propri indicatori e moltiplicatori della popolarità dei gruppi. La tendenza odierna sembra non voler puntare più sulla continuità di un logo, si cerca piuttosto di caratterizzare fortemente la produzione singola abbinando alla copertina del disco un marchio distintivo, anche se saltuariamente qualcuno ci riprova non sempre però con risultati eclatanti.
È che inventare un carattere marchio diventa sempre più difficile in un campo dove le idee si sovrappongono, si rincorrono, a volte si assomigliano troppo.

□ Interprete HOOK FOOT - Album COMMUNICATION - Casa DJM/1972 - Design MICHAEL ROSS

☐ Interprete ELECTRIC LIGHT ORCHESTRA - Album ELO'S GREATEST HITS - Casa JET/1979

☐ Interprete CHICAGO - Album CHICAGO - Casa CBS/1976 - Design JOHN BERG - Disegno NICK FASCIANO

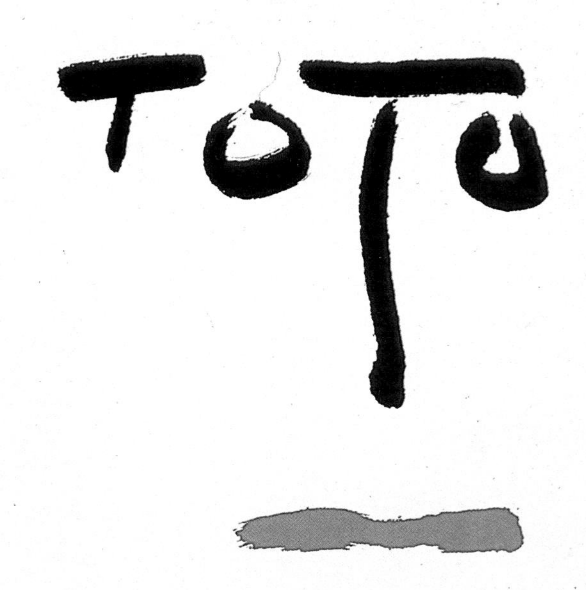

☐ Interprete ONE - Album ONE - Casa GRUNT/1972 - Design PACIFIC EYE & EAR ☐ Interprete TOTO - Album TURN BACK - Casa CBS/1980 - Design TONY LANE ☐ Interprete CHICAGO - Album CHICAGO XIV - Casa CBS/1980 - Design JOHN BERG & TONY LANE ☐ Interprete CHICAGO - Album CHICAGO XIII - Casa CBS/1979 - Design TONY LANE - Disegno GARY MEYER

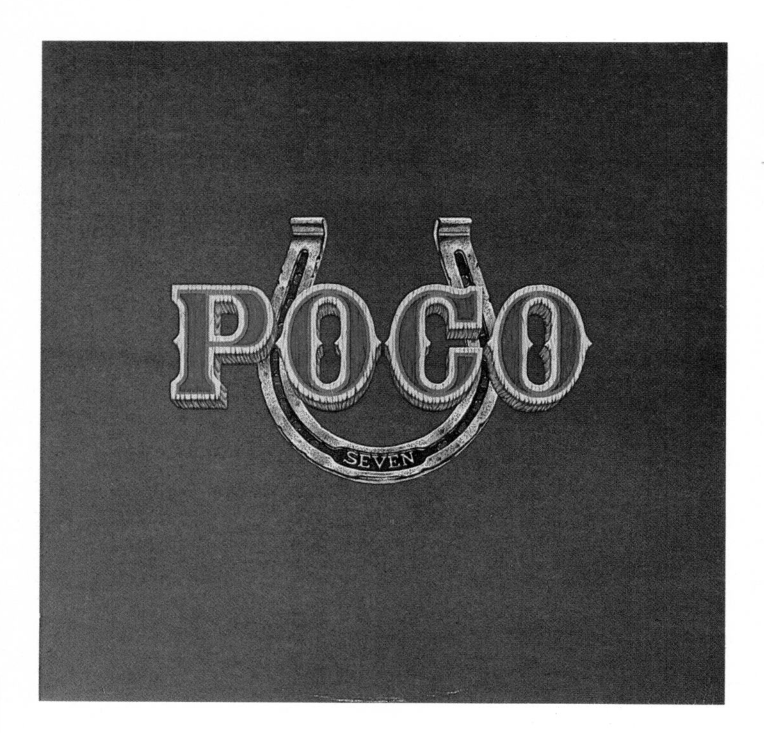

☐ Interprete POCO - Album SEVEN - Casa EPIC/1974 - Design PHILIP HARTMANN ☐ Interprete VAN HALEN - Album VAN HALEN II Casa WARNER BROS/1979 - Design DAVE BHANG ☐ Interprete SKY - Album SKY - Casa ARIOLA-VIP/1979 - Design HUTTON CHARRINGTON BUNTROCK LTD. ☐ Interprete GANG OF FOUR - Album SOLID GOLD - Casa EMI/1981 - Design ANY & JON

HORROR

L'iconografia orrorifica fatta spesso di tratti marcati, di linguaggi duri e inquietanti, è stata introdotta solo negli anni 70 come veicolo per l'immagine discografica. Favorita dal successo di certa musica d'urto come l'hard rock, l'heavy metal e in qualche caso anche il punk, l'immagine horror ha seguito sulla copertina quello che è stato il tragitto della musica.

Nelle copertine horror non c'è quasi mai eleganza formale, ricerca fine di equilibri tra le diverse componenti grafiche, ma anzi uno strappo violento rispetto alle regole tradizionali dell'illustrazione. Il tratto nel caso dell'horror disegnato è spesso greve e rude come per gli Iron Maiden dei quali la strega è divenuta un simbolo per adesivi e spillette. In campo fotografico si ricorre a trucchi, a visi mascherati, a giochi di illusione per ottenere effetti paurosi: così è per la copertina di *Captain Beefheart*, corrosa dal tempo, per Rupert Hine e Graham Parker che hanno smarrito qualsiasi contorno umano.

Ma la grafica horror insegna anche come una realtà appena deformata possa essere ancora più angosciosa di qualsiasi finzione: il cazzotto che brutalizza un malaugurato modello sulla cover dei Professionals, o la lametta dei Judas Priest oltre a essere in esemplare sintonia con gli intendimenti della musica sono immagini spietate e veridiche, da cui si desume la cupa similitudine con la filosofia teorizzata di violenza pura e chitarre roventi rilanciata in questi ultimi anni.

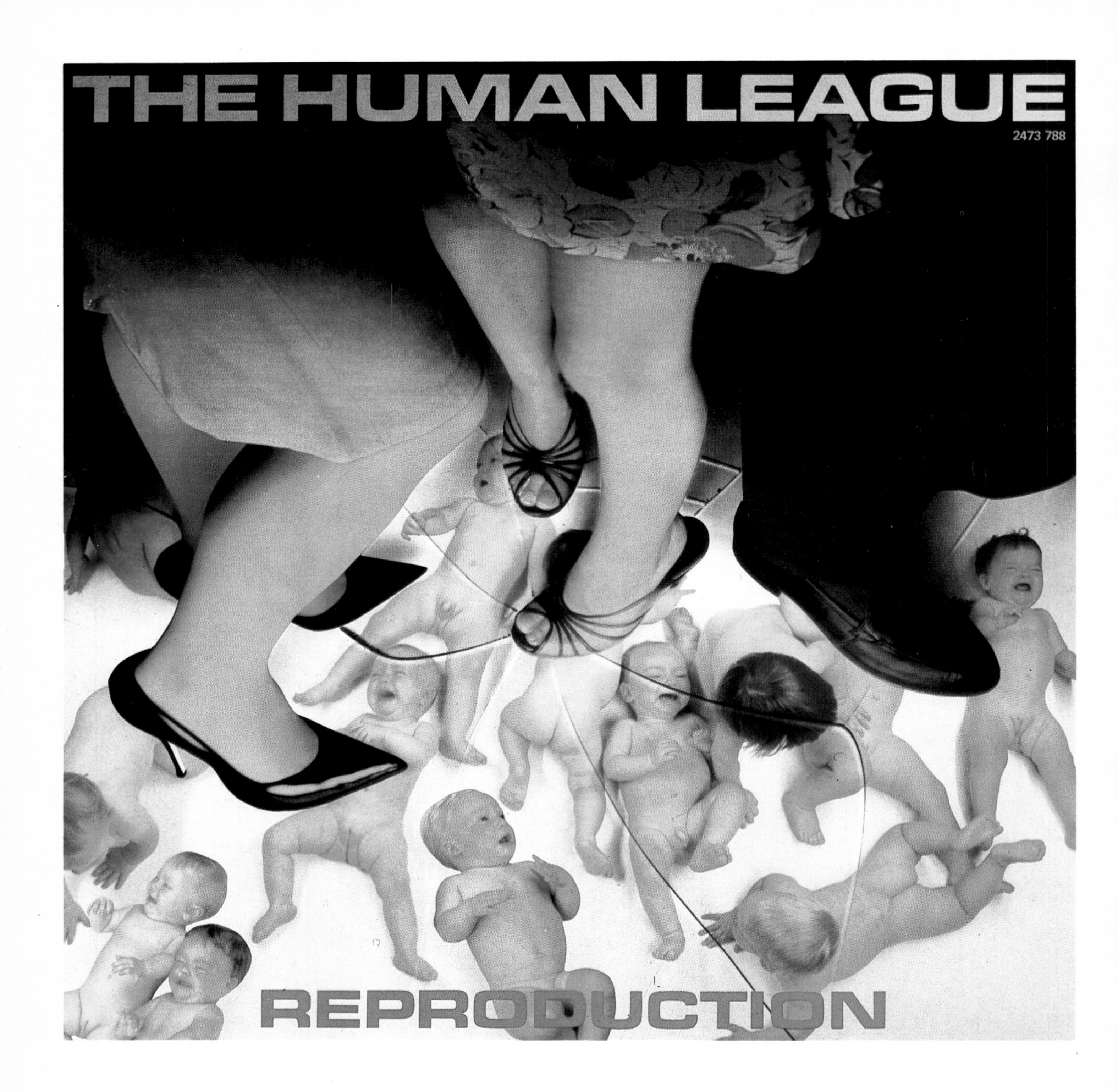

☐ Interprete THE HUMAN LEAGUE - Album REPRODUCTION - Casa VIRGIN RECORDS/1979 - Design THE HUMAN LEAGUE - Foto CHRIS GABRIN

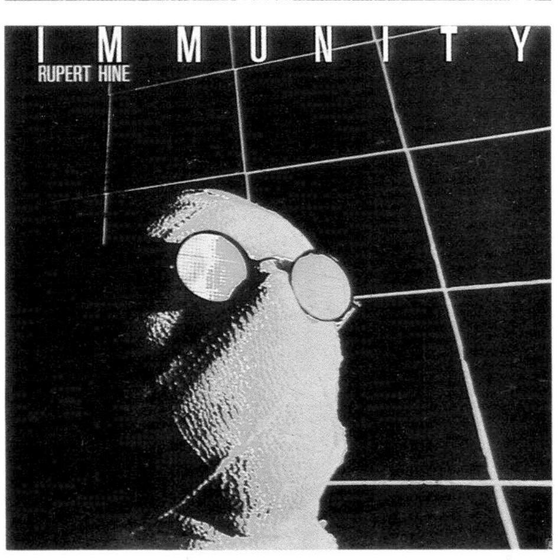

☐ Interprete GRAHAM PARKER AND THE RUMOURS - Album THE PARKERILLA - Casa VERTIGO/1978 - Design BRIAN GRIFFIN ☐ Interprete BLUE OYSTER CULT - Album CULTOSAURUS ERECTUS - Casa CBS/1980 - Design PAULA SCHER - Disegno RICHARD CLIFTON-DEY ☐ Interprete CAPTAIN BEEFHEART & HIS MAGIC BAND - Album TROUT MASK REPLICA - Casa STRAIGHT/1969 - Design CAL SCHENKEL - Foto ED CARAEFF, CAL SCHENKEL ☐ Interprete RUPERT HINE - Album IMMUNITY - Casa A&M/1981 - Design MICHAEL ROSS AND SIMON RYAN ☐ Interprete YELLO -Album SOLID PLEASURE - Casa RALPH RECORDS/1980

☐ Interprete BLACK SABBATH - Album BLACK SABBATH - Casa ARISTON/1981 - Design & foto KEEF ☐ Interprete DEBBIE HARRY - Album KOO KOO - Casa CHRYSALIS/1981 - Design H.R. GIGER - Foto BRIAN ARIS ☐ Interprete THE SOFT BOYS - Album UNDERWATER MOONLIGHT - Casa ARMAGGEDON RECORDS/1981 - Foto GEORGE WRIGHT

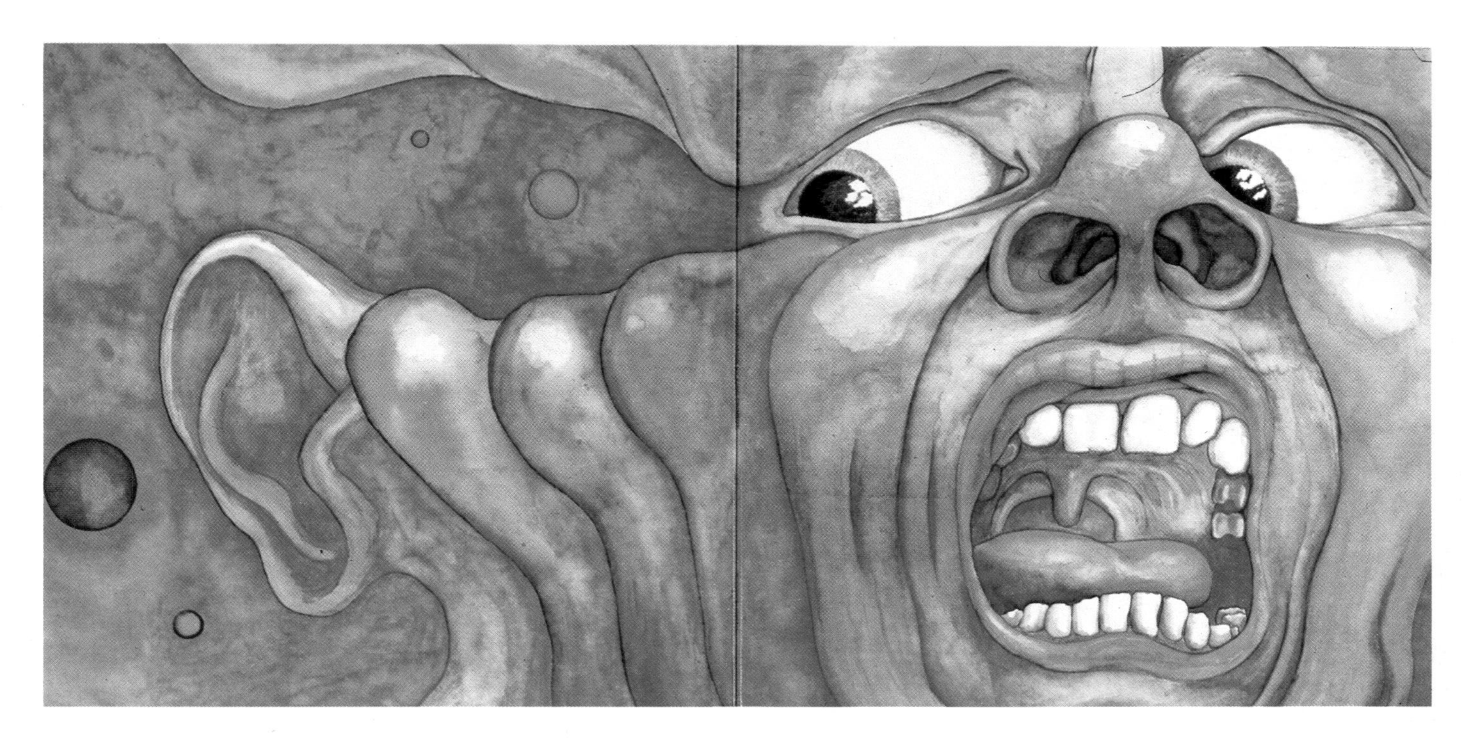

☐ Interprete KING CRIMSON - Album IN THE COURT OF THE CRIMSON KING - Casa POLYDOR/1969 - Design BARRY GODBER ☐ Interprete IRON MAIDEN - Album KILLERS - Casa EMI/1981 - Design DEREK RIGGS ☐ Interprete THE MOODY BLUES - Album IN SEARCH OF THE LOST CHORD - Casa DERAM/1968 - Design PHILIP TRAVERS

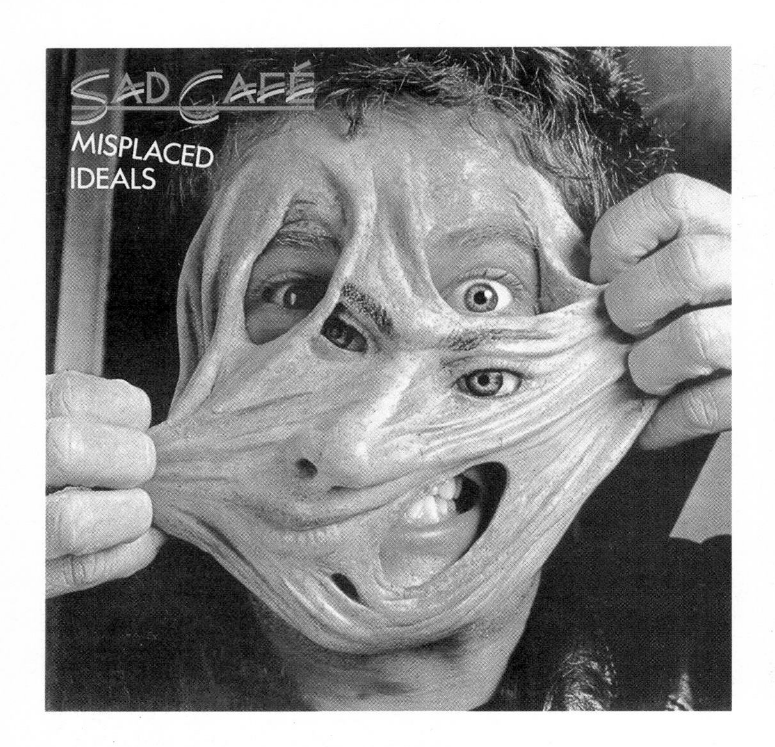

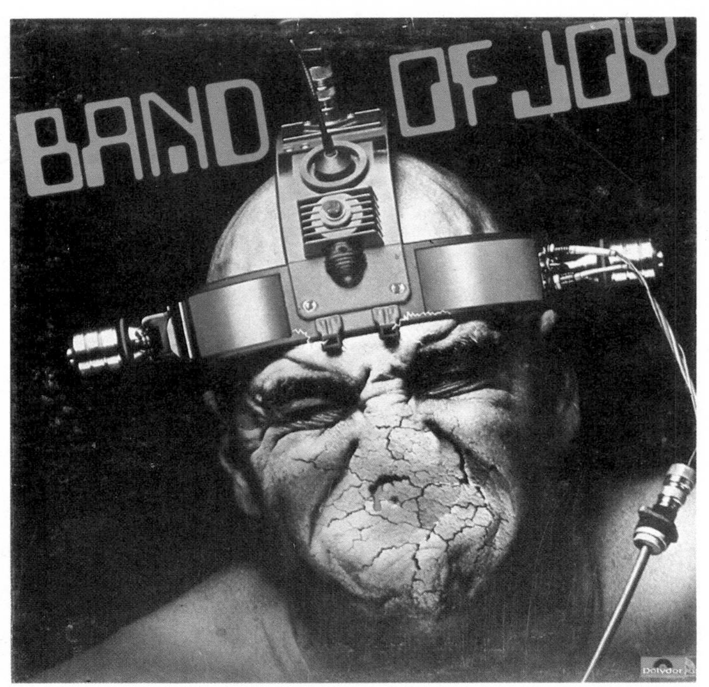

☐ Interprete SAD CAFE - Album MISPLACED IDEALS - Casa RCA/1978 - Design HIPGNOSIS ☐ Interprete BAND OF JOY - Album BAND OF JOY - Casa POLYDOR/1978 - Design JO MIROWSKY ☐ Interprete JUDAS PRIEST - Album BRITISH STEEL - Casa CBS/1980 - Design ROSLAV. SZAYBO - Foto R. ELSDALE ☐ Interprete THE PIRATES - Album SKULL WARS - Casa WARNER BROS./1978 - Design TONY MACKERTICH - Disegno JOE PETAGNO

☐ Interprete THE PROFESSIONALS - Album I DIDN'T SEE IT COMING - Casa VIRGIN RECORDS/1981 - Design BILL SMITH - Foto GERED MANKOWITZ

Le copertine dei dischi hanno sempre fatto abbondante uso di un sesso mai spudorato, mai pornografico, sempre in linea con una iconografia estremamente raffinata ed allusiva, quella che i veri esperti considerano la più coinvolgente.
Negli anni 50 l'aria persa e disponibile di certe ragazze sdraiate sul pianoforte dell'*enterteiner* di turno è stato il massimo di allusione possibile per lungo tempo, a meno che non si voglia considerare equivoche le molte copertine dove apparivano donnine nell'atto di accarezzare un sassofono.
Le prime apparizioni di nudo femminile arrivano sul finire degli anni 60, suscitando prevedibili scandali. È il caso della prima edizione del doppio *Electric Ladyland* di Jimi Hendrix del 1968. Al centro di feroci polemiche negli Stati Uniti non giunse mai in versione originale in Europa.
La doppia foto di copertina ritraeva una quarantina di modelle accoccolate e nude su un fondale molto buio.
Sorte analoga subì l'album dei Blind Faith del 1969 che presentava il ritratto «nature» di una acerbissima adolescente e che in Inghilterra venne addirittura sequestrato.
Nudi femminili, richiami erotici espliciti o meno (frutta, gelati, scarpe e piedi sotto il tavolo) cominciano ad apparire regolarmente dal 1972 in poi. Memorabile, in particolare, la serie dei primi album dei Roxy Music in cui glamour, kitsch e sesso si fondono stupendamente. L'appeal erotico del maschio è ancora tutto da inventare e per ora non trova posto in copertina.

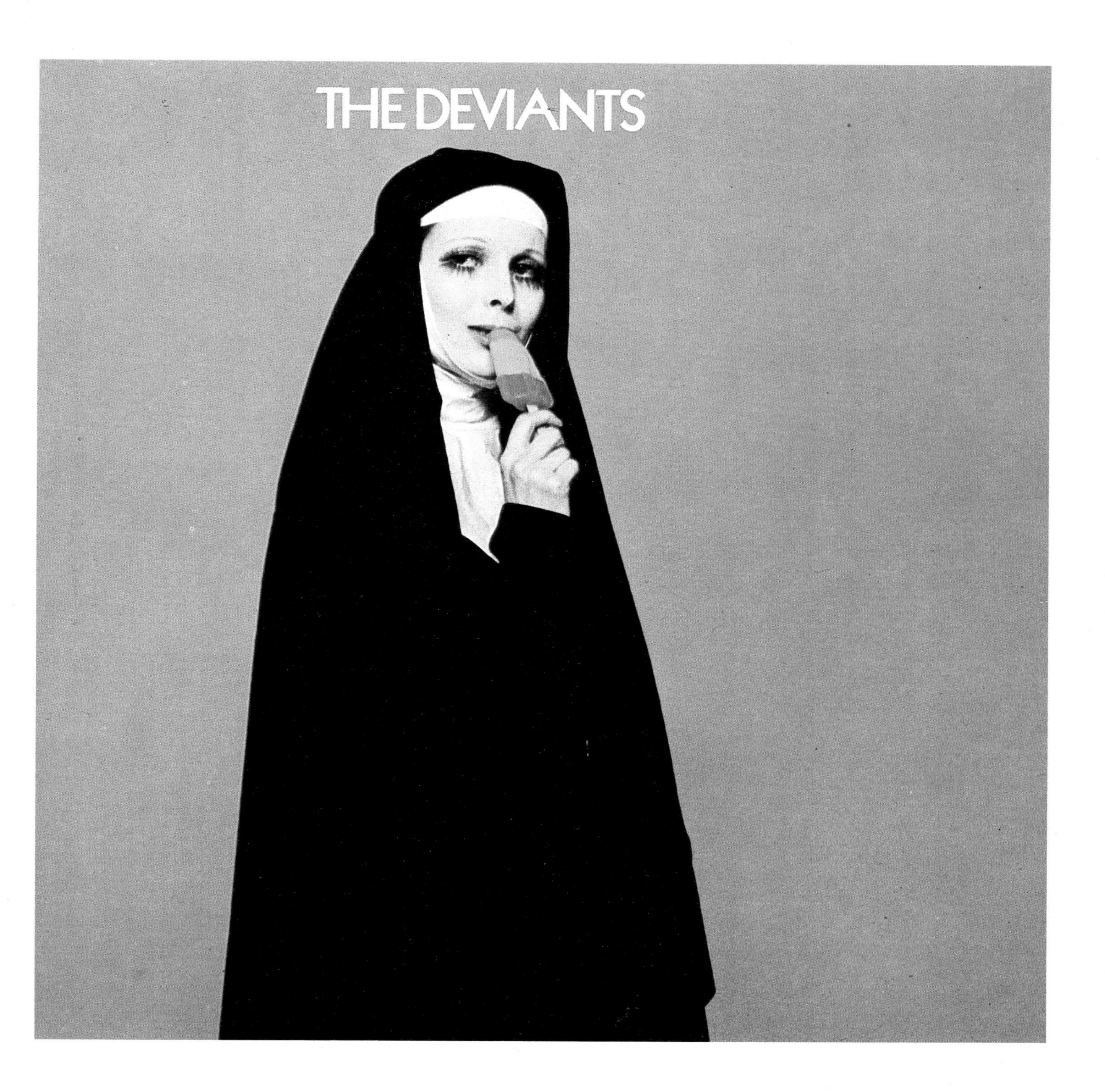

☐ Interprete DEVIANTS - Album THE DEVIANTS - Casa TRANSATLANTIC RECORDS/1969

☐ Interprete PACIFIC GAS AND ELECTRIC - Album ARE YOU READY - Casa CBS/1970 - Design DAVID WILLARDSON

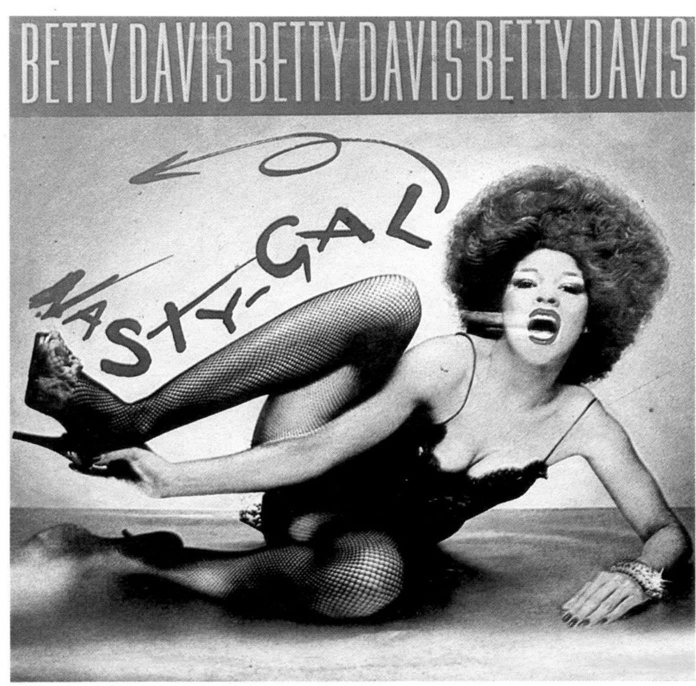

☐ Interprete CONTORTIONS - Album BUY - Casa ZE RECORDS/1979 - Design ANYA PHILLIPS ☐ Interprete CARLY SIMON - Album TORCH - Casa WARNER BROS./1981 - Design BILL GERBER & SIMON LEVY - Foto LYNN GOLDSMITH INC. ☐ Interprete CARLY SIMON - Album BOYS IN THE TREES - Casa ELEKTRA/1978 - Design JOHNNY LEE & TONY LANE - Foto DEBORAH TURBERVILLE ☐ Interprete BETTY DAVIS - Album NASTY GAL - Casa ISLAND/1975 - Design ANTONIO LOPEZ - Foto CHARLES TRACY

☐ Interprete ROOMFUL OF BLUES - Album HOT LITTLE MAMA - Casa CHISWICK/1981 - Design GEOFF HALPIN ☐ Interprete ROXY MUSIC - Album COUNTRY LIFE - Casa E.G. RECORDS/1974 - Design BRYAN FERRY - Foto ERIC BOMAN ☐ Interprete BLUES BAND - Album ITCHY FEET - Casa ARISTA/1981 - Design KLAUS VOORMANN, PETER MALTZ ☐ Interprete HERMAN RAREBELL - Album NIP IN THE BUD - Casa BREEZE MUSIC/1981

☐ Interprete SCORPIONS - Album LOVEDRIVE - Casa OUT/1978 - Design & Foto HIPGNOSIS ☐ Interprete LARRY MARTIN FACTORY - Album DAIMLER BENZ - Casa ISADORA/RCA/1978 - Design FOULET ☐ Interprete ROXY MUSIC - Album FOR YOUR PLEASURE - Casa EG. RECORDS/1973 - Design BRYAN FERRY - Foto KARL STOECKER

☐ Interprete DIANA ROSS - Album WHY DO FOOLS FALL IN LOVE - Casa CAPITOL/1981 - Foto DOUGLAS KIRKLAND ☐ Interprete ROXY MUSIC - Album ROXY MUSIC - Casa E.G. RECORDS/1972 - Design BRYAN FERRY - Foto KARL STOECKER ☐ Interprete ROXY MUSIC - Album STRANDED - Casa E.G. RECORDS/1973 - Design BRYAN FERRY Foto KARL STOECKER

FUMETTO

Il richiamo ai fumetti nel mondo discografico non è troppo diffuso, ma tutti o quasi gli esempi disponibili sembrano di buona fattura e soprattutto forti di un'espressività chiara e divertente.
Il ricorso al fumetto consente di raccontare con pochi tratti colorati storie e situazioni umoristiche che altrimenti non sarebbe possibile congegnare. Nella copertina di *Cheap Thrills*, firmata da Crumb (il disegnatore underground della striscia dei Freak Brothers, divenuta storica a cavallo tra i 60 e i 70), in quelle degli Everly Brothers e di David Bowie ad ogni canzone corrisponde una vignetta. Nel fumetto applicato alla discografia si tende a produrre storie in stretta connessione con la canzone, una specie di buffo commento al sonoro.
Gli Sports con un segno molto sintetico e veloce, con quella staticità tipica dell'epoca, si rifanno ai personaggi dei fumetti anni 40; i Mothers of Invention di *Weasels Ripped my Flesh* come la collana *Cruisin'* profumano di anni 50; con i Kiss siamo alla generazione dei fumetti dei giorni nostri.
Altrove come per Jan Hammer e i Rascals il tratto può sembrare addirittura spartano ma estremamente comunicativo, mentre l'autore di *Supersnazz* (Flamin' Groovies) occhieggia senza mistero allo stile del maestro Disney: un'altra conferma che non esistono veri specialisti del fumetto nel campo delle cover discografiche, ma semmai contributi sparsi, preziosi e irregolari.

☐ Interprete THE MOTHERS OF INVENTION - Album WEASELS RIPPED MY FLESH - Casa WARNER BROS./1970 - Design PATRICK VON SPRECKELSEN

☐ Interprete THE SPORTS - Album SUDDENLY... - Casa ARISTA/1980

□ Interprete FLAMIN GROOVIES - Album SUPERSNAZZ - Casa CBS/1969 - Design BOB ZOELL

☐ Interprete ELTON JOHN - Album CAPTAIN FANTASTIC AND THE BROWN DIRT COWBOY - Casa DJM RECORDS/1975 - Design ALAN ALDRIDGE, HARRY WILLOCK ☐ Interprete IAN CARR WITH NUCLEUS - Album LABYRINTH - Casa VERTIGO/1973 ☐ Interprete COMMANDER CODY AND HIS LOST PLANET AIRMEN - Album COMMANDER CODY AND HIS LOST PLANET AIRMEN - Casa WARNER BROS./1975 - Design CHRIS FRAYNE

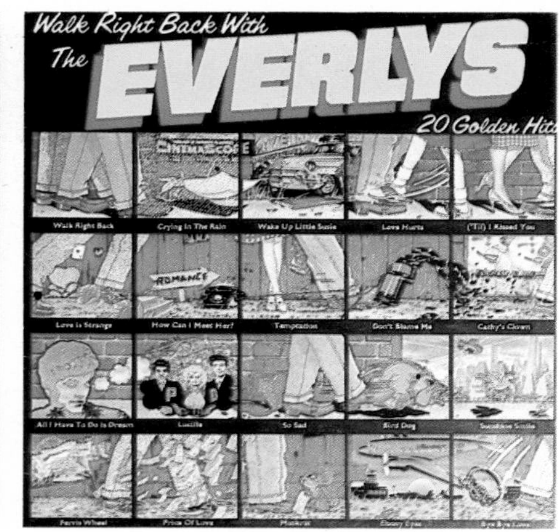

☐ Interprete BIG BROTHER AND THE HOLDING COMPANY - Album CHEAP THRILLS - Casa CBS/1967 - Design R. CRUMB ☐ Interprete KISS - Album UNMASKED - Casa CASABLANCA-1980 - Design HOWARD MARKS ADVERTISING Inc. - Disegno VICTOR SABIN WITH MARK SAMUELS AND JOSE RIVERO ☐ Interprete THE EVERLY BROTHERS - Album WALK RIGHT BACK WITH THE EVERLY - Casa WARNER BROS./1975 - Design GRAVES, ASLETT ASSOCIATES - Disegno MICK BROWNFIELD ☐ Interprete THE DAVID BROMBERG BAND - Album RECKLESS ABANDON - Casa FANTASY/1977 - Design B. KLIBAN ☐ Interprete DAVID BOWIE - Album IMAGES - Casa DERAM - Design NEON PARK

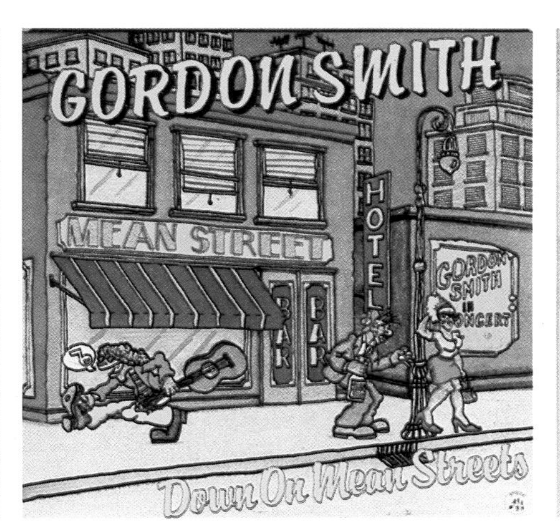

☐ Interprete CARAVAN - Album BLIND DOG AT ST. DUNSTANS - Casa ARISTA/1976 - Design DAVID ENGLISH, ANDREW ARCHER ASSOCIATES ☐ Interprete GORDON SMITH - Album DOWN ON MEAN STREETS - Casa APPALOOSA/1980 - Design GIGI BARBIERI ☐ Interprete GRATEFUL DEAD - Album SHAKEDOWN STREET - Casa ARISTA/1978 - Design GILBERT SHELTON ☐ Interprete LEON REDBONE - Album FROM BRANCH TO BRANCH - Casa ATLANTIC/1981 - Design MICHAEL HOREN ☐ Interprete SAVOY BROWN - Album STREET CORNER TALKING - Casa DECCA/1971 - Design DAVID ANSTEY

☐ Interprete THE RASCALS - Album TIME PEACE - Casa ATLANTIC/1968 - Design STANISLAW ZAGORSKI - Disegno HORNETTE & FLIPPER ☐ Interprete JAN HAMMER GROUP - Album OH JEAH? - Casa NEMPEROR RECORDS/1976 - Design BOB DEFRIN ☐ Interprete ARTISTI VARI - Album CRUISIN' 1955 - Design INCREASE RECORDS/1970 - Design ROYER ☐ Interprete ARTISTI VARI - Album CRUISIN' 1964 - Casa INCREASE RECORDS/1973 - Design ROYER

SEGNO E DISEGNO

Dalla semplice rappresentazione a matita, a china o ad acquarello fino alle raffinate tecniche a base di aerografo, l'arte del disegno ha seguito passo passo l'evoluzione grafica del long playing.
Un disegno ben fatto, sia esso appena stilizzato, da intuire e comprendere o rifinito nei minimi particolari tanto da risultare iperrealista, è stato sempre il mezzo più semplice per risolvere la copertina di un disco.
Il problema è solo quello del tema che si vuole rappresentare, poi la fantasia, l'esperienza e la tecnica del disegnatore possono svolgersi liberamente dando luogo a risultati davvero eccellenti. Tanto che si è venuta a creare una vera e propria categoria di professionisti che con il loro stile hanno imposto un segno, un'immagine, un gusto inconfondibili.
Jeffrey Edwards, ad esempio, che con tratto limpido ama soffermarsi su particolari di pavimenti in legno utilizzando luci e ombre nette come fa per i *20 Greatest Hits* degli intramontabili Shadows o per *Sticky George* dei Korgis; Franzetta che si è specializzato in heavy metal e riempie le copertine dei Molly Hatchet di muscolosissimi barbari e guerrieri sanguinari; Roger Huyssen che utilizza il colore e la fantasia in maniera straordinaria, inventando copertine davvero splendide.

☐ Interprete CORYELL/MOUZON - Album BACK TOGETHER AGAIN - Casa ATLANTIC/1977 - Design BOB DEFRIN - Disegno ROGER HUYSSEN

☐ Interprete THE ROMEOS - Album ROCK AND ROLL AND LOVE AND DEATH - Casa CBS/1980

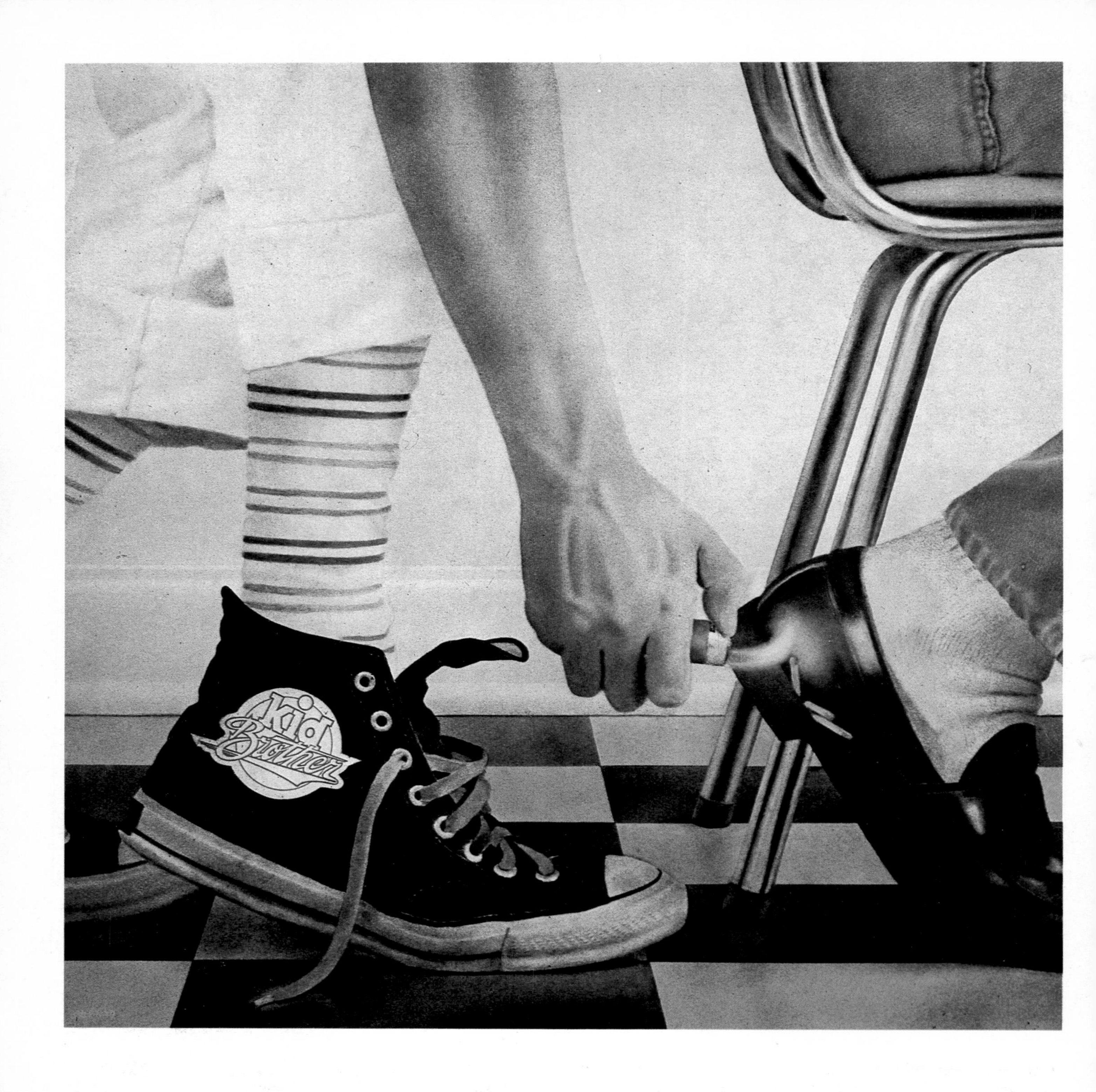

□ Interprete KID BROTHER - Album KID BROTHER - Casa MCA/1979 - Design GEORGE OSAKI - Disegno RICHARD LON COHEN

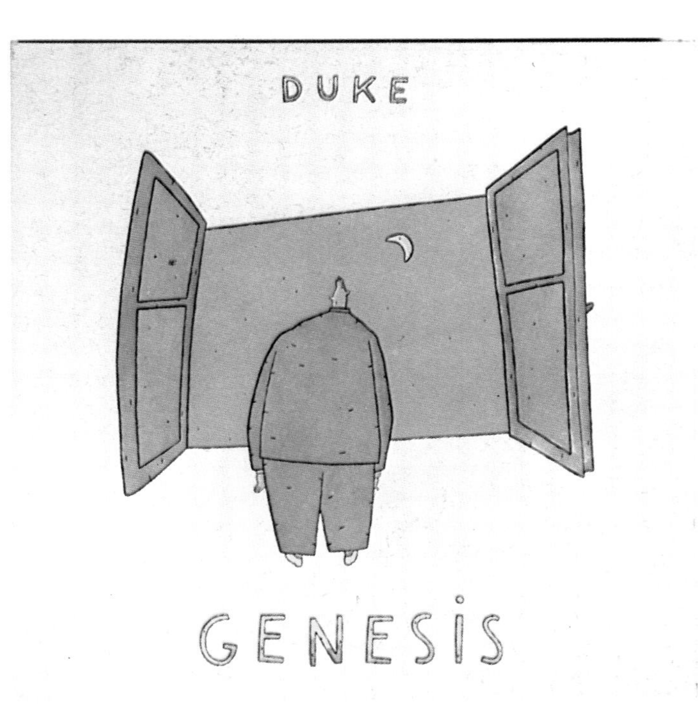

☐ Interprete LINTON KWESI JOHNSON - Album BASS CULTURE - Casa ISLAND/1980 - Design ZEBULON DESIGNS - Disegno DENNIS MORRIS ☐ Interprete GENESIS - Album DUKE - Casa CHARISMA/1980 - Design BILL SMITH - Disegno LIONEL KOECHLIN ☐ Interprete AL JARREAU - Album ALL FLY HOME - Casa WARNER BROS./1978 - Disegno SUSAN PLAYER JARREAU ☐ Interprete STOMU YAMASHTA'S GO - Album GO LIVE FROM PARIS - Casa ISLAND/1976 - Design TONY WRIGHT & STOMU YAMASHTA

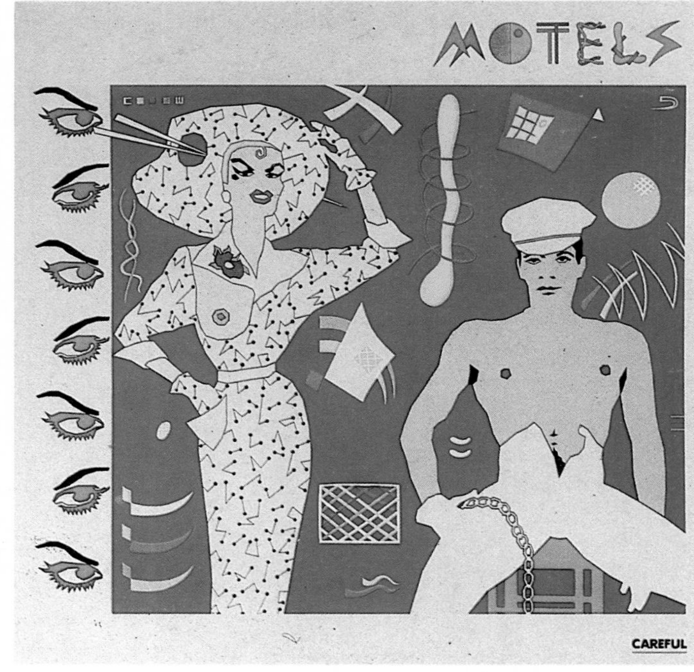

☐ Interprete THE TRAMMPS - Album MIXIN' IT UP - Casa ATLANTIC/1980 - Design BOB DEFRIN - Disegno ROGER HUYSSEN ☐ Interprete MOTELS - Album CAREFUL - Casa EMI/1980 - Design ROY KOHARA & HENRY MARQUEZ - Disegno DUGGIE FIELDS ☐ Interprete THE RESIDENTS - Album NOT AVAILABLE - Casa RALPH RECORDS/1978 - Design PORE-KNOW GRAPHICS ☐ Interprete DAVID BROMBERG BAND - Album YOU SHOULD SEE THE REST OF THE BAND - Casa FANTASY/1980 - Design KRIS JOHNSON - Disegno GAHAN WILSON

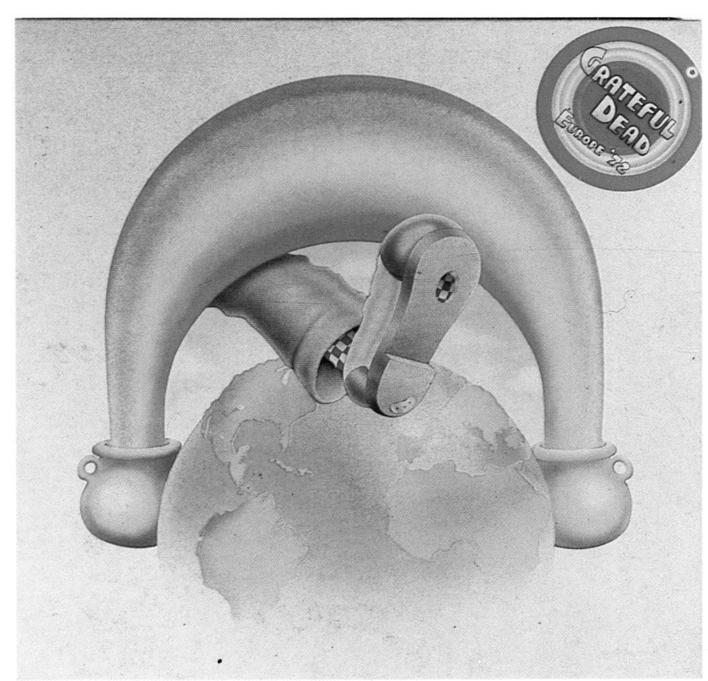

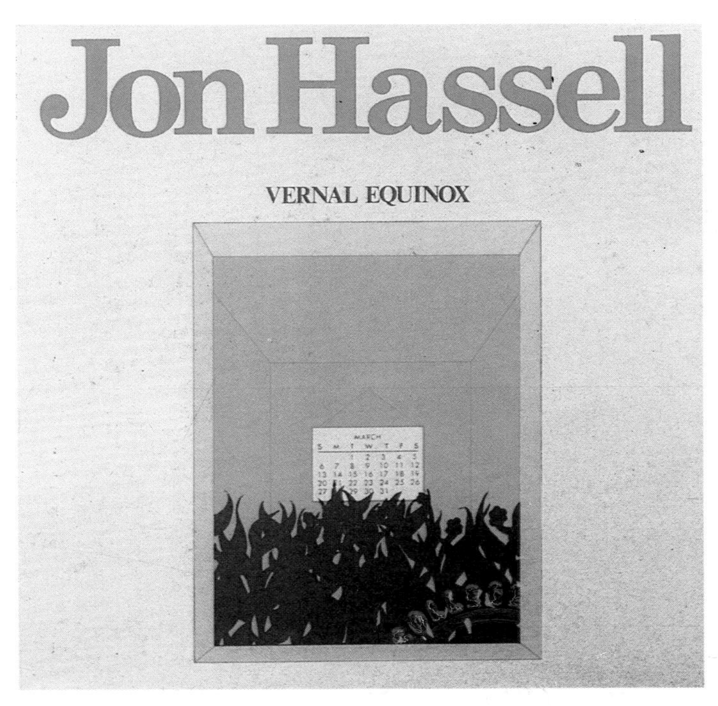

☐ Interprete DAEVID ALLEN - Album BANANA MOON - Casa CAROLINE/VIRGIN/1975 - Disegno DAEVID ALLEN ☐ Interprete GRATEFUL DEAD - Album EUROPE '72 - Casa WARNER BROS./1972 - Design MOUSE STUDIOS - Disegno KELLEY ☐ Interprete INCREDIBLE STRING BAND - Album SEASONS THEY CHANGE - Casa ISLAND/1976 - Design ECKFORD/STIMPSON - Dipinto JAMES HUTCHESON - Interprete JON HASSEL - Album VERNAL EQUINOX - Casa LOVELY MUSIC/1977 - Design ARIEL PEERI

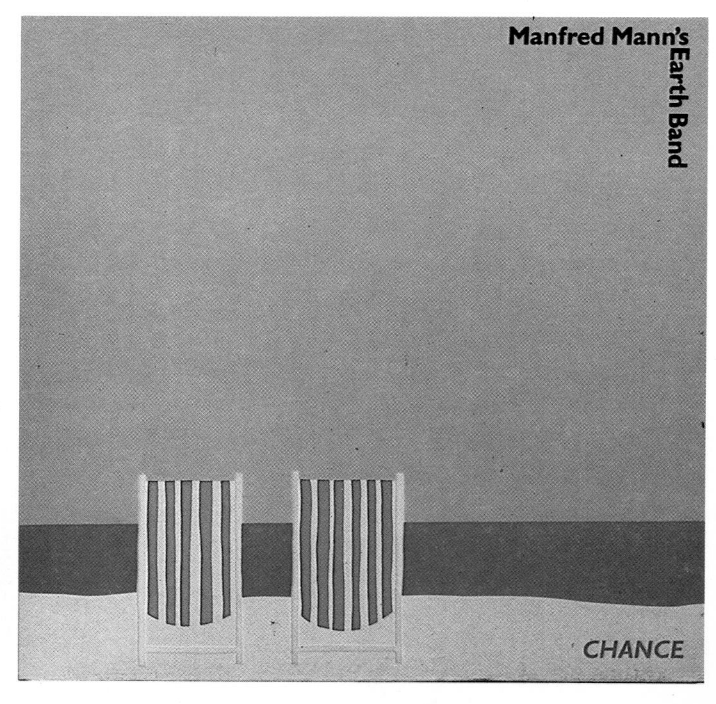

☐ Interprete THE CURE - Album BOYS DON'T CRY - Casa FICTION RECORDS/1979 - Design BILL SMITH ☐ Interprete FRED FRITH - Album GRAVITY - Casa RALPH RECORDS/1980 - Design ALFREDA BENGE ☐ Interprete WEATHER REPORT - Album 8:30 - Casa CBS/1979 - Design NANCY DONALD - Disegno STEVE SMITH ☐ Interprete MANFRED MANN'S EARTH BAND - Album CHANCE - Casa BRONZE RECORDS/1980 - Design MARTIN POOLE - Disegno OLE KORTZAU

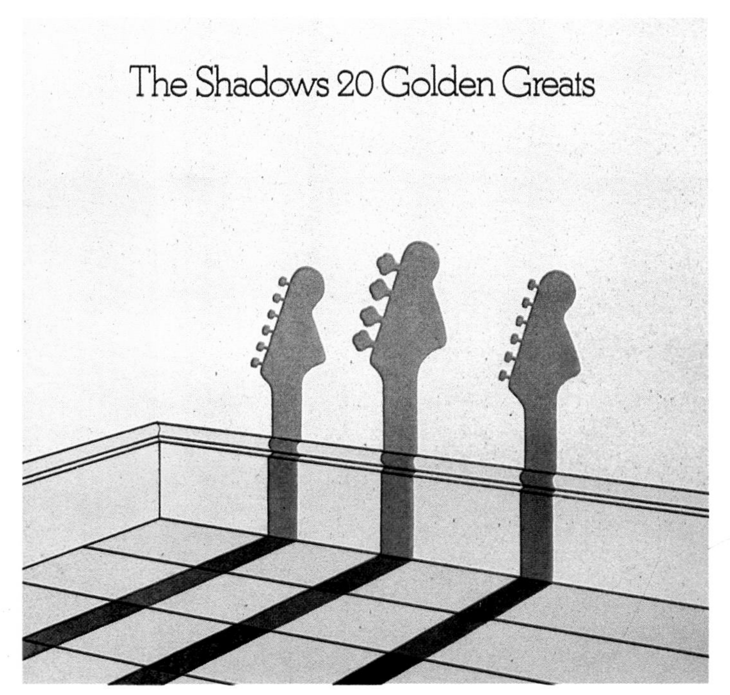

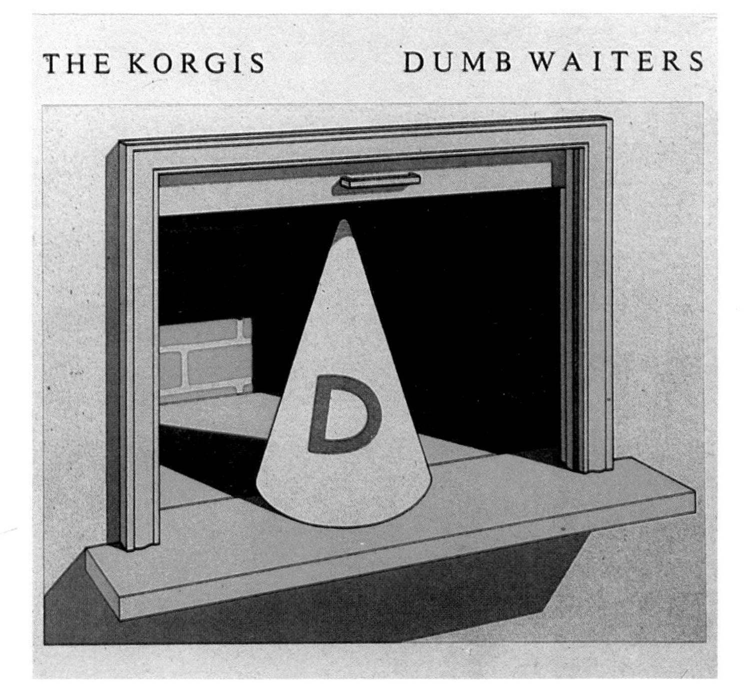

☐ Interprete THE KORGIS - Album STICKY GEORGE - Casa RIALTO/1981 - Design ROWBOTTOM & BALME - Disegno JEFFEREY EDWARDS ☐ Interprete FRANK ZAPPA - Album WAKA/JAWAKA - Casa BIZARRE REPRISE/1972 - Disegno MARVIN MATTELSON ☐ Interprete THE SHADOWS - Album 20 GOLDEN GREATS - Casa EMI/1977 - Disegno JEFFEREY EDWARDS ☐ Interprete THE KORGIS - Album DUMB WAITERS - Casa RIALTO/1980 -Design ROWBOTTOM & BALME - Disegno JEFFEREY EDWARDS

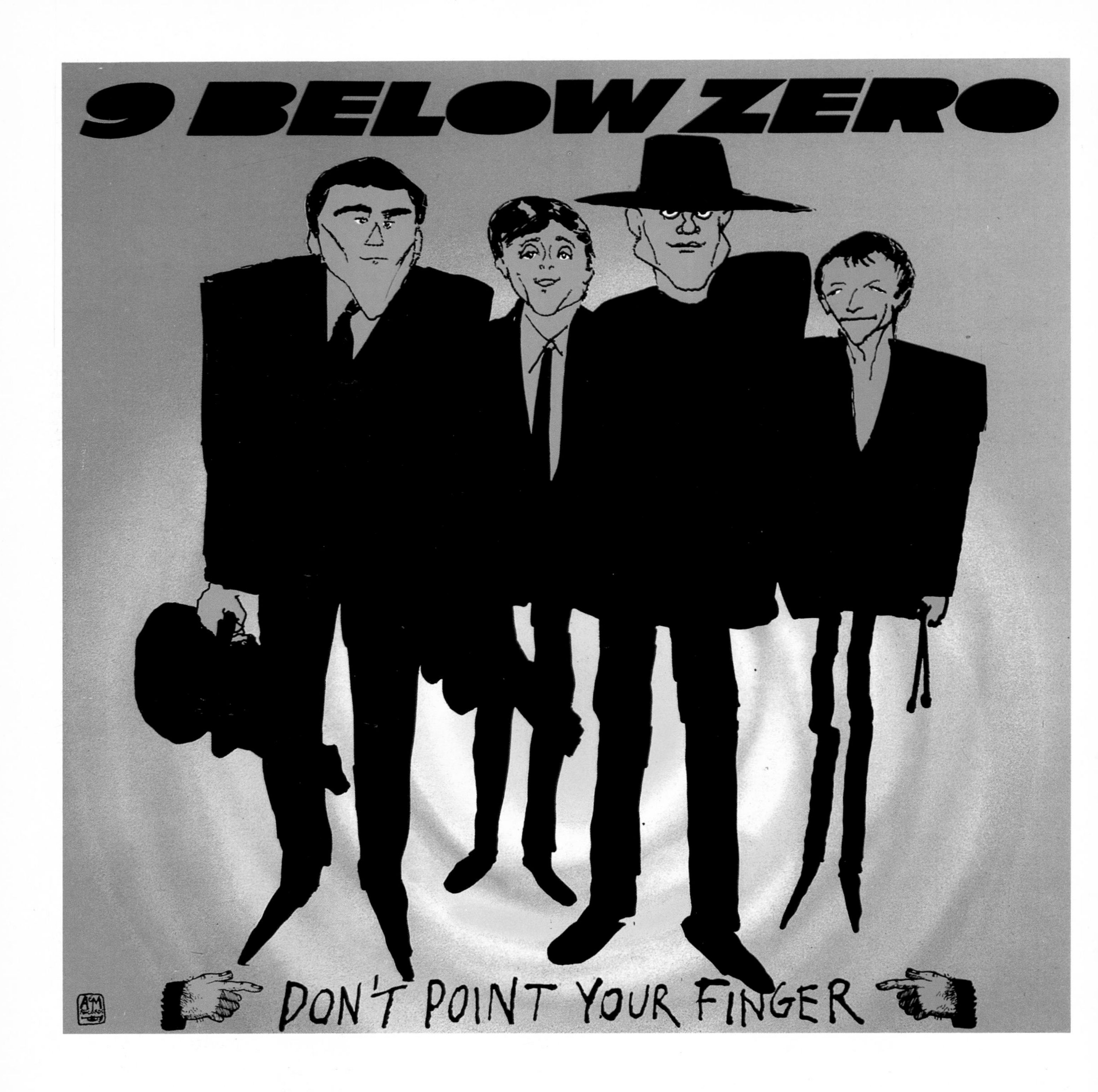

☐ Interprete 9 BELOW ZERO - Album DON'T POINT YOUR FINGER - Casa A&M/1981 - Design MICHAEL ROSS - Disegno MARCO ROPES

☐ Interprete GORDON GILTRAP - Album VISIONARY - Casa PHONOGRAM/1976 - Design DOBNEY JOHNSON STUDIOS ☐ Interprete STRAIGHT EIGHT - Album SHUFFLE'N'CUT - Casa LOGO/1980 - Design CREAM ☐ Interprete RAMONES - Album PLEASANT DREAMS - Casa RCA/1981 - Design M&Co. NEW YORK - Foto MICHAEL SOMOROFF ☐ Interprete FRANK ZAPPA - Album STUDIO TAN - Casa DISCREET/WEA/1978 - Design VARTAN/ROD DYER INC. - Disegno GARY PANTER ☐ Interprete SKIDS - Album JOY - Casa VIRGIN/1981 - Disegno RAY SMITH ☐ Interprete GRACE JONES - Album FAME - Casa ISLAND/1978 - Disegno RICHARD BERNSTEIN

☐ Interprete THE RESIDENTS - Album THE THIRD REICH 'N ROLL - Casa RALPH RECORDS/1979 - Design PORNO/GRAPHICS ☐ Interprete MATCHING MOLE - Album LITTLE RED RECORD - Casa CBS/1972 ☐ Interprete ARTISTI VARI - Album PROPAGANDA (NO WAVE 11) - Casa A&M/1979 - Design CHUCK BEESON - Disegno BRIAN DAVIS ☐ Interprete KANSAS - Album KANSAS - Casa CBS/1978 - Design ED LEE - Dipinto JOHN STEWART CURRY

☐ Interprete MOLLY HATCHET - Album MOLLY HATCHET - Casa CBS/1978 - Disegno FRANZETTA ☐ Interprete MOLLY HATCHET - Album BEATIN' THE ODDS - Casa CBS/1980 - Disegno FRANZETTA ☐ Interprete RETURN TO FOREVER - Album ROMANTIC WARRIOR - Casa CBS/1976 - Disegno WILSON McLEAN ☐ Interprete RAM JAM - Album RAM JAM - Casa CBS/1977 - Design ROBERTO BIRO - Disegno STANISLAW ZAGORSKI

STRADA, ROTAIA, CIELO

Il mito del movimento, del viaggio, della strada, è una delle costanti dell'iconografia rock. Del resto, le basi le avevano gettate i poeti e gli scrittori della beat generation: Kerouac è stato ed è ancora lo scrittore più amato dalle generazioni del rock, anche se sulla sua Plymouth ascoltava bebop. Fra le immagini dei dischi troviamo veramente di tutto: le biciclette, i treni a vapore, le astronavi, i dirigibili, gli aerei, le caravan e soprattutto, autotreni e automobili. Basta un'occhiata superficiale per accorgersi che sono quasi sempre gli americani a preferire l'immagine legata a un mezzo di trasporto. I grandi viaggi per le autostrade a sei corsie, le tournée massacranti da costa a costa, il fascino della durezza della vita *on the road* continuano ad alimentare la leggenda del «vero» rocker che può dirsi tale solo se ha speso una parte della sua esistenza a spaccarsi le reni attraversando l'America. Gli europei, invece, a meno che non siano emigrati riconoscenti verso gli Usa, sembrano trattare il tema dei mezzo di trasporto con più distacco. Il dirigibile in fiamme dei Led Zeppelin e la bicicletta incartata degli Etron Fou in fondo sono cartoline dal vecchio mondo, con un pizzico di disincanto nostalgico.

☐ Interprete CARAVAN - Album CARAVAN - Casa MGM - Design KEITH DAVIS OF DBWF

☐ Interprete ETRON FOU LE LOUBLAN - Album BATELAGES - Casa GRATTE-CIEL/1977 - Design A. POSTEL ET J.P. TRAN - Foto J.P. BOS

☐ Interprete MIDNIGHT FLYER - Album MIDNIGHT FLYER - Casa SWAN SONG/1981 - Foto AUBREY POWELL AND PETER CHRISTOPHERSON ☐ Interprete JOHN CLARK - Album FACES - Casa ECM/1981 - Design & foto DIETER REHM ☐ Interprete JACKSON BROWNE - Album LATE FOR THE SKY - Casa ASYLUM RECORDS/1974 - Design & foto BOB SEIDEMANN ☐ Interprete MIDNIGHT FLYER - Album MIDNIGHT FLYER - Casa SWANG SONG/1981 - Foto AUBREY POWELL AND PETER CHRISTOPHERSON

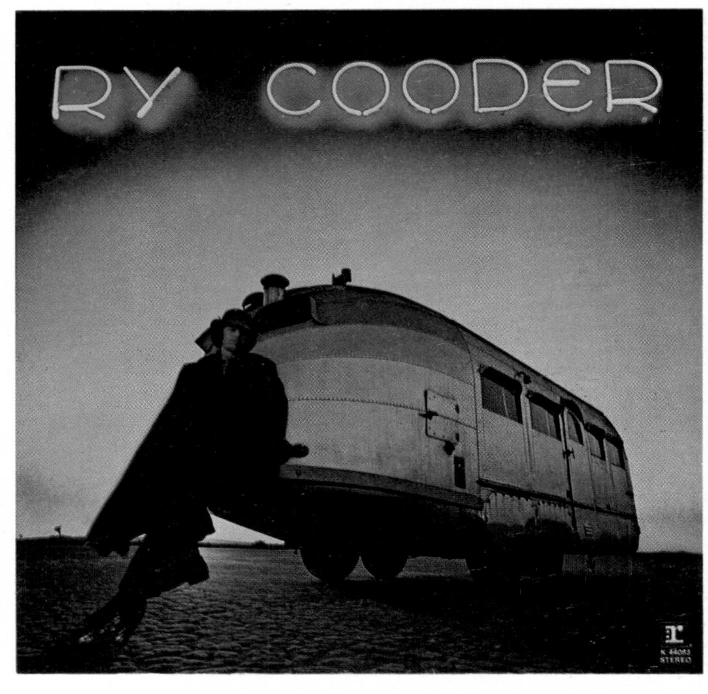

☐ Interprete LED ZEPPELIN - Album LED ZEPPELIN I - Casa ATLANTIC/1968 - Design GEORGIE HARDIE ☐ Interprete RY COODER - Album RY COODER - Casa REPRISE RECORD/1970 - Foto FRANK BEZ ☐ Interprete BLUE ÖYSTER CULT - Album ON YOUR FEET OR ON YOUR KNEES - Casa CBS/1975 - Design JOHN BERG & GERARD HUERTA - Foto JOHN BERG ☐ Interprete CHEMIN BLANC - Album CHEMIN BLANC - Casa HEXAGONE - Design LAURENT LESERRE - Disegno FLORENCE VILLEPRAND

BESTIARIO

Gli animali sono un tema spesso ricorrente in copertina e che trova solo di rado una qualche corrispondenza con i contenuti musicali dell'album stesso. Il «bestiario», non avendo referenti precisi, ha riscontro solo nella fantasia e nell'umorismo: insetti esposti con rigore scientifico da collezionista, galli variopinti e boriosi, blow-up su maialini rosa con o senza scarponi, scimmie improbabilmente addobbate dall'aria annoiata.
La dissacrante tranquillità della mucca voluta da Hipgnosis per *Atom heart mother* dei Pink Floyd è diventata nel suo genere un simbolo e un esempio al quale in seguito molte altre copertine si sono ispirate.
È questo forse l'unico caso in cui è azzardabile l'ipotesi di un inconscio ritorno alla fanciullezza da parte degli «inventori» di copertine, una voglia di rappresentare ancora una volta le favole disegnando o fotografando gli esseri che le hanno da sempre popolate; o ancora, il tentativo di dare a una musica a volte troppo metropolitana una parvenza di ecologica, animalesca beatitudine.

☐ Interprete BOB JAMES - Album LUCKY SEVEN - Casa CBS/1979 - Design PAULA SCHER - Foto BUDDY ENDRESS

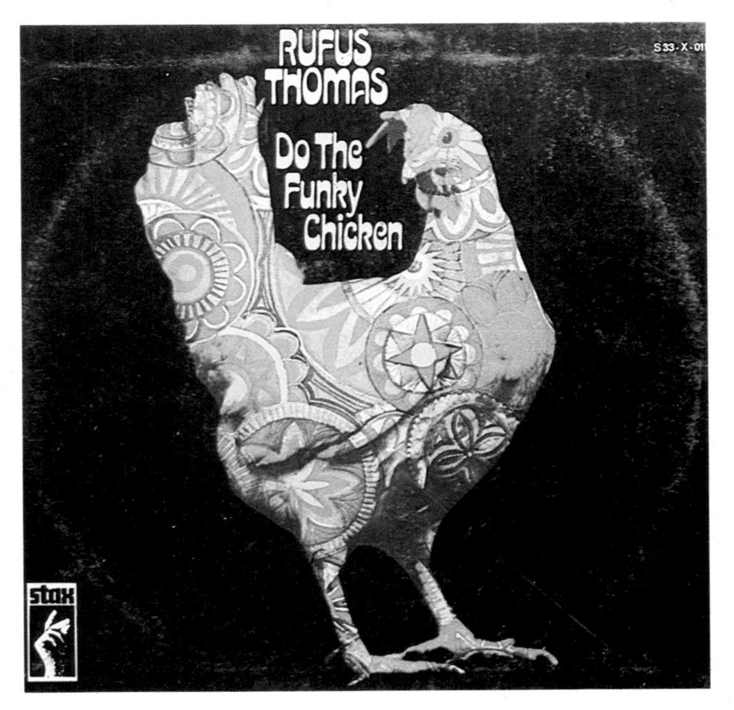

☐ Interprete CHICK COREA - Album FRIENDS - Casa POLYDOR/1978 - Design CHICK COREA, MICHAEL MANOOGIAN - Foto STANLEY GAINSFOTH ☐ Interprete CLEARLIGHT - Album LES CONTES DU SINGE FOU - Casa ISLAND/1976 - Design SOLE ☐ Interprete MR. BLOE - Album GROOVIN' WITH MR. BLOE - Casa DIM RECORDS - Design ALAN ALDRIDGE ☐ Interprete RUFUS THOMAS - Album DOTHE FUNKY CHICKEN - Casa STAX - Design THE GRAFFITERIA, DAVID KRIEGER

☐ Interprete JAY UNGAR AND LYN HARDY - Album CATSKILL MOUNTAIN GOOSE CHASE - Casa PHILO RECORDS/1977 - Design MARGOT ZALKIND - SCHUR - Foto ARTHUR DEBOWY ☐ Interprete ARTISTI VARI - Album DEAD ON ARRIVAL - Casa VIRGIN/1976 - Design COOKE KEY ☐ Interprete BLODWYN PIG - Album AHEAD RINGS OUT - Casa CHRYSALIS/1969 - Design JOHN WILLIAMS ☐ Interprete SANTANA - Album GREATEST HITS - Casa CBS/1974 - Design JOHN BERG - Foto JOEL BALDWIN

☐ Interprete BABE RUTH - Album AMAR CABALLERO - Casa HARVEST/1974 - Design HIPGNOSIS ☐ Interprete PINK FLOYD - Album ATOM HEART MOTHER - Casa HARVEST/1970 - Design HIPGNOSIS ☐ Interprete PAUL AND LINDA McCARTNEY - Album RAM - Casa APPLE/1971 - Design PAUL Mc CARTNEY - Foto LINDA McCARTNEY

chit'in (ki-), n. Substance forming horny cover of beetles & crustaceans. Hence ~OUS a. [f. F *chitine* irreg. f. Gk *khitōn* tunic + -IN]

DERAM

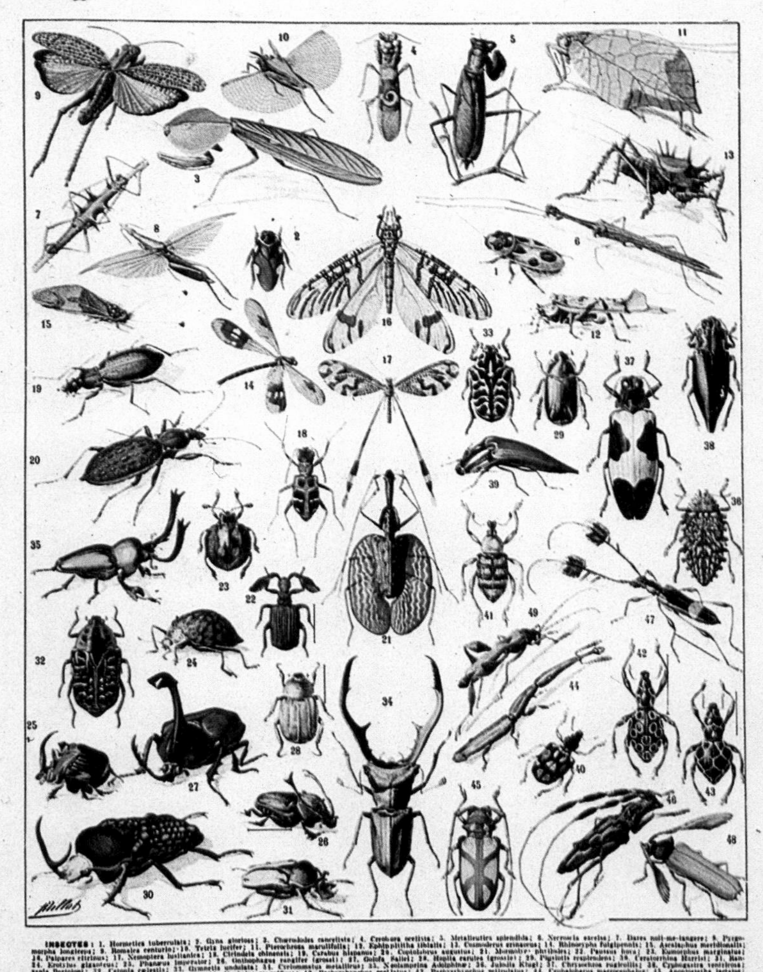

THE CHITINOUS ENSEMBLE

DIRECTED BY PAUL BUCKMASTER

☐ Interprete THE CHITINOUS ENSEMBLE - Album CHITINOUS - Casa DERAM/1971

☐ Interprete POCO - Album LEGEND - Casa MCA/1978 - Design PHILIP HARTMANN ☐ Interprete SPLODGENESSABOUNDS - Album SPLODGENESSABOUNDS - Casa DERAM/1981 ☐ Interprete FLEETWOOD MAC - Album TUSK - Casa WARNER BROS./1979 - Design VIGON NAHAS VIGON - Foto PETER BEARD, JAYME ODGERS, NORMAN SEEF ☐ Interprete BAD COMPANY - Album RUN WITH THE PACK - Casa ISLAND/1976 - Design KOSH

☐ Interprete THE YARDBIRDS - Album YARDBIRDS FAVOURITES - Casa EPIC/1977 - Design PAULA SCHER - Disegno DAVID WILCOX ☐ Interprete ANTHONY PHILLIPS - Album WISE AFTER THE EVENT - Casa VERTIGO/1978 - Design PETER CROSS ☐ Interprete J.J. CALE - Album NATURALLY - Casa SHELTER/1980 - Dipinto RABON ☐ Interprete BRUCE COCKBURN - Album JOY WILL FIND A WAY - Casa TRUE NORTH/CBS/1975 - Dipinto BLAIR DRAWSON ☐ Interprete ELVIS COSTELLO & THE ATTRACTIONS - Album ARMED FORCES - Casa RADAR/1979 ☐ Interprete NORTON BUFFALO - Album LOVIN' IN THE VALLEY OF THE MOON - Casa CAPITOL/1977 - Design RICHARD KRIEGLER

FANTASY

È il regno dei due grandi maestri che negli anni 70 hanno nobilitato la copertina come forma artistica: Roger Dean e lo studio Hipgnosis. Il primo, vero e proprio pittore, con il disegno, il secondo, soprattutto con il mezzo fotografico, sono riusciti a delimitare un periodo storico, a fornire fascino e suggestioni a dischi e artisti che se ne sono giovati come forse altrove non era mai successo. Pensiamo ai territori fantastici e inquietanti di Roger Dean, dove il medioevo si interseca con proiezioni futuristiche, popolato da strane creature animali senza tempo, in un'ambientazione ora fatta di ghiacci eterni, ora di territori stregati color del fuoco.
Più leggero e raffinato, fitto di accenni e particolari elegantissimi è il mondo di Hipgnosis, carico di visioni oniriche, di delicati montaggi e trucchi fotografici in cui il fantastico, la proiezione sovrannaturale ha ampio diritto di cittadinanza.
E gli esempi nella sezione fantasy sono numerosi, sempre competitivi perché la connessione tra la musica e l'illustrazione nel campo dell'immaginario, le sue ispirazioni più sottili, i suoi suggerimenti sotterranei sono quantomai naturali.
Fantasy è la buffa squadriglia dei tostapane elettrici che sorvolano la West Coast, ma anche la ossessionante terribile moltiplicazione degli uomini-robot rilasciata dalla Yellow Magic Orchestra; non tutto ma di tutto, insomma, quasi a indicare che il mondo sfuggente del fantastico sta lassù nell'alto dei cieli, quanto qui dietro l'angolo, basta riconoscerlo.

☐ Interprete THE DOORS - Album STRANGE DAYS - Casa ELEKTRA/1968 - Design WILLIAM S. HARVEY - Foto JOEL BRODSKY

☐ Interprete GAMMA - Album GAMMA 2 - Casa ELEKTRA/1980 - Design MICK HAGGERTY - Foto MICK HAGGERTY, JEFFREY SCALES ☐ Interprete BAD COMPANY - Album DESOLATION ANGELS - Casa SWAN SONG/1979 - Design & foto HIPGNOSIS ☐ Interprete ELTON JOHN - Album 21 AT 33 - Casa ROCKET/1980 - Design NORMAN MOORE ☐ Interprete CHRIS REA - Album TENNIS - Casa MAGNET RECORDS/1980 - Design HOTHOUSE

☐ Interprete CLIMAX BLUES BAND - Album FLYING THE FLAG - Casa WARNER BROS./1980 - Design TIM RITCHIE - Foto OLIVIER FERRAND - Disegno TSUNEHISA KIMURA ☐ Interprete SUPERTRAMP - Album BREAKFAST IN AMERICA - Casa A&M/1979 - Design MIKE DOUD - Disegno MICK HAGGERTY - Foto AARON RAPOPORT ☐ Interprete STATUS QUO - AlbumJUST SUPPOSIN' - Casa VERTIGO/1980 - Design JOHN SHAW - Disegno ALAN SCHMIDT ☐ Interprete JEFFERSON AIRPLANE - Album THIRTY SECONDS OVER WINTERLAND - Casa GRUNT/1971 - Design BRUCE STEINBERG

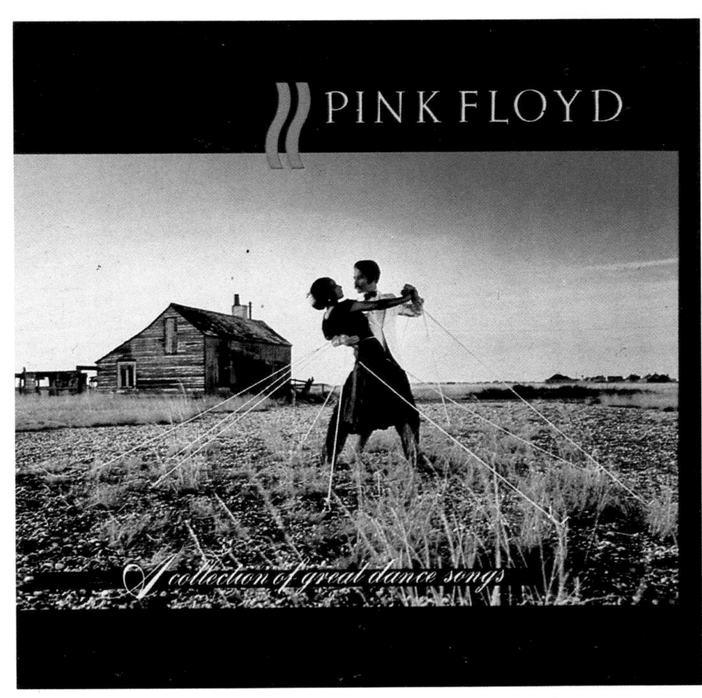

☐ Interprete KILLING JOKE - Album WHAT'S THIS FOR...! - Casa EG RECORDS/1981 ☐ Interprete SWELL MAPS - Album A TRIP TO MARINEVILLE - Casa ROUGH TRADE/1979 - Design EPIC ☐ Interprete RACING CARS - Album BRING ON THE NIGHT - Casa CHRYSALIS/1978 - Design HARDIE, HIPGNOSIS ☐ Interprete PINK FLOYD - Album A COLLECTION OF GREAT DANCE SONGS - Casa HARVEST/1981 - Design TCP, CITIZEN - Foto TCP

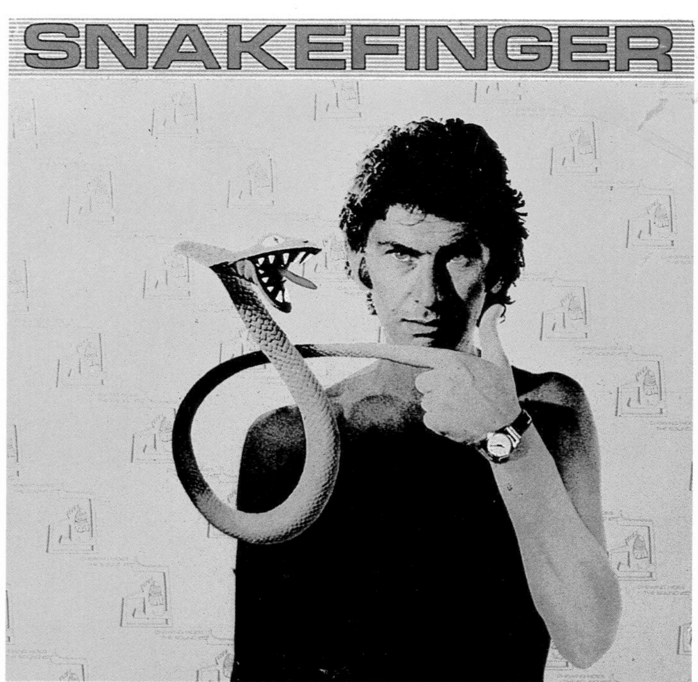

☐ Interprete THE RESIDENTS - Album BUSTER & GLEN - Casa RALPH RECORDS/1978 - Design PORE NO GRAPHICS - Foto G. WHIFLER ☐ Interprete THE RESIDENTS - Album MEET THE RESIDENTS - Casa RALPH RECORDS/1979 - Design PORE NO GRAPHICS ☐ Interprete SNAKEFINGER - Album CHEWING HIDES THE SOUND - Casa RALPH RECORDS/1979 - Design PORE NO GRAPHICS ☐ Interprete ARTISTI VARI - Album SUBTERRANEAN MODERN - Casa RALPH RECORDS/1979 - Design GARY PANTER

☐ Interprete LITTLE FEAT - Album DIXIE CHICKEN - Casa WARNER BROS./1973 - Design NEON PARK ☐ Interprete LITTLE FEAT - Album THE LAST RECORD ALBUM - Casa WARNER BROS./1975 - Design NEON PARK ☐ Interprete LITTLE FEAT - Album FEATS DON'T FAIL ME NOW - Casa WARNER BROS./1974 - Design NEON PARK ☐ Interprete LITTLE FEAT - Album DOWN ON THE FARM - Casa DOWN ON THE FARM/1979 - Design EDDY HERCH - Disegno NEON PARK

☐ Interprete LED ZEPPELIN - Album PRESENCE - Casa SWAN SONG/1976 - Design HIPGNOSIS AND HARDIE ☐ Interprete PINK FLOYD - Album WISH YOU WERE HERE - Casa HARVEST/1981 - Design HIPGNOSIS ☐ Interprete LED ZEPPELIN - Album PRESENCE - Casa SWAN SONG/1976 - Design HIPGNOSIS AND HARDIE ☐ Interprete PINK FLOYD - Album WISH YOU WERE HERE - Casa HARVEST/1981 - Design HIPGNOSIS

☐ Interprete YES - Album RELAYER - Casa ATLANTIC/1974 - Design ROGER DEAN ☐ Interprete YES - Album YESSHOW - Casa ATLANTIC/1980 - Design ROGER DEAN ☐ Interprete YES - Album GOING FOR THE ONE - Casa ATLANTIC/1977 - Design HIPGNOSIS

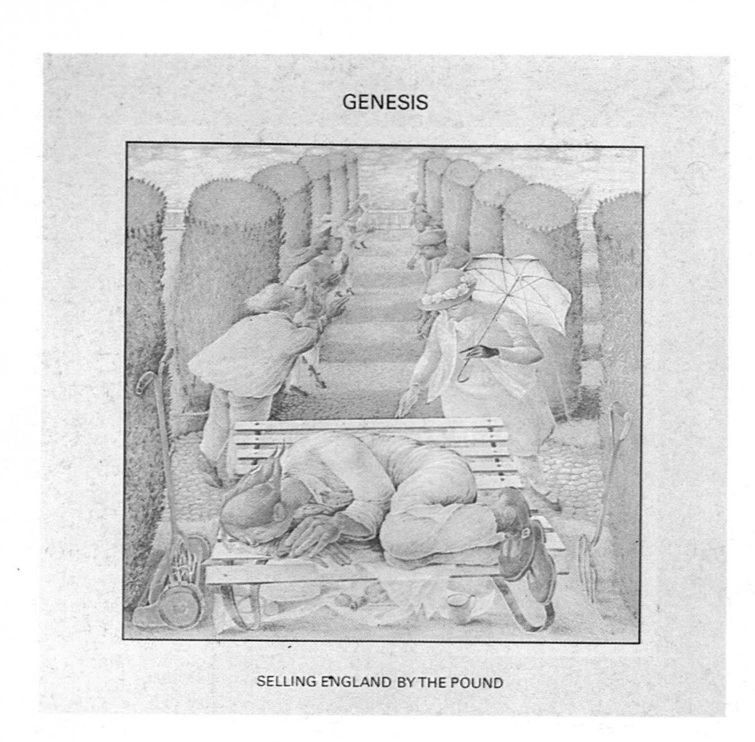

☐ Interprete GENESIS - Album SELLING ENGLAND BY THE POUND - Casa CHARISMA/1973 - Dipinto BETTY SWANWICK ☐ Interprete CAT STEVENS - Album TEA FOR THE TILLERMAN - Casa ISLAND/1971 - Disegno CAT STEVENS ☐ Interprete DONOVAN - Album HMS DONOVAN - Casa DAWN RECORDS/1971 - Design PATRICK

□ Interprete YELLOW MAGIC ORCHESTRA - Album XOO MULTIPLES - Casa A&M/1980 - Design TAKAHISA KAMIJYO - Foto MASAYOSHI SUKITA

☐ Interprete THE ALAN PARSON PROJECT - Album EVE - Casa ARISTA/1978 - Design & foto HIPGNOSIS ☐ Interprete STYX - Album PIECES OF EIGHT - Casa A&M/1978 - Design & foto HIPGNOSIS

☐ Interprete NICK DRAKE - Album PINK MOON - Casa ISLAND/1972 - Design MICHAEL TREVITHICK ☐ Interprete KING CRIMSON - Album THE YOUNG PERSONS' GUIDE TO KING CRIMSON - Casa EG RECORDS/POLYDOR/1975 - Design ROBERT FRIPP/BOB BOWKETT - Dipinto FERGUS HALL: «IL SUONATORE DI PAESAGGIO»

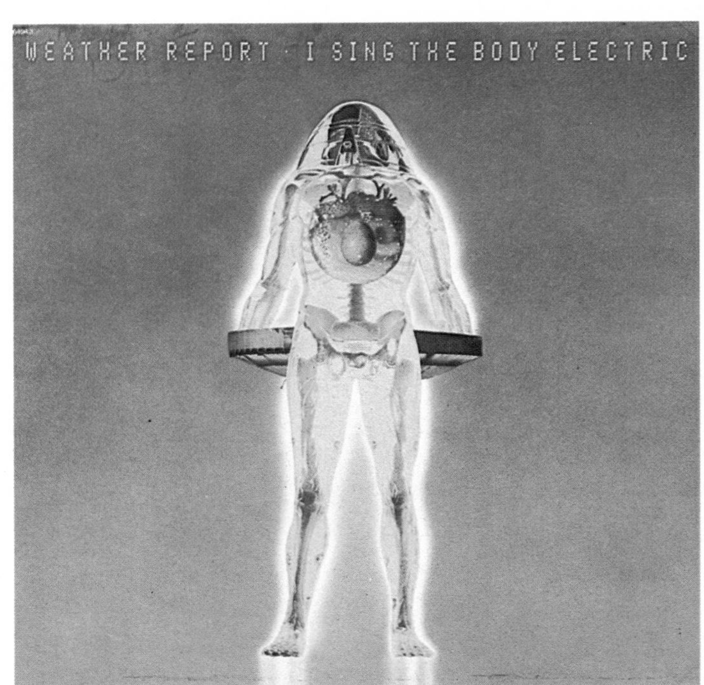

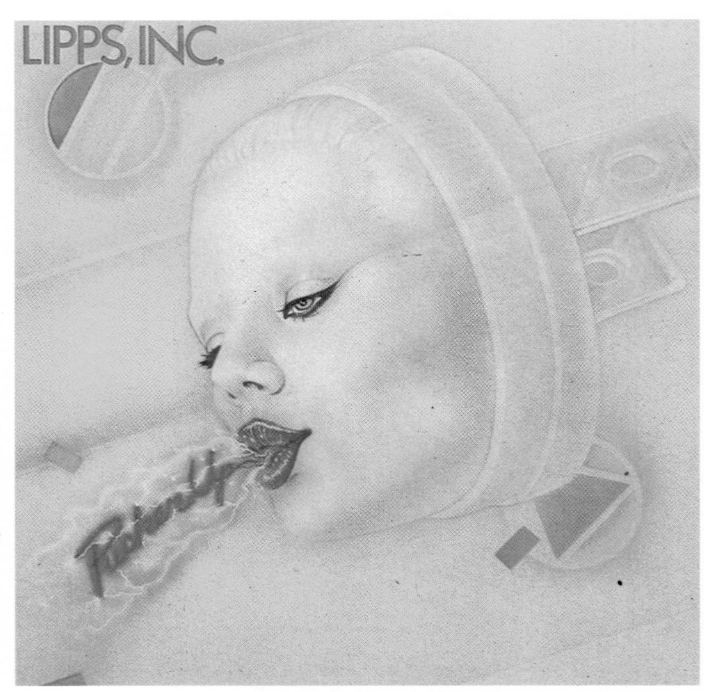

Interprete AMERICA - Album ALIBI - Casa CAPITOL/1980 - Design GARY BURDEN, B.D. FOX & FRIENDS Inc. - Foto HENRY DILTZ ☐ Interprete WEATHER REPORT - Album I SING THE BODY ELECTRIC - Casa CBS/1973 - Design ED LEE - Disegno JACK TROMPETTER, FRED SWANSON ☐ Interprete DAN AR BRAS - Album THE EARTH'S LAMENT - Casa HEXAGONE/1980 - Design & foto STUDIO DEL AIR ☐ Interprete LIPPS INC. - Album PUCKER UP - Casa CASABLANCA

☐ Interprete THE RESIDENTS - Album ESKIMO - Casa RALPH RECORDS/1979 - Design POOR NO GRAPHICS ☐ Interprete QUARTERFLASH - Album QUARTERFLASH - Casa GRIFFIN/1981 - Design TOMMY STEELE, CHRIS WHORF, ART HOTEL - Foto MICHAEL MITCHELL ☐ Interprete VAN DER GRAAF GENERATOR - Album PAWN HEARTS - Casa CHARISMA/1971 - Design PAUL WHITEHEAD - Foto KEITH MORRIS ☐ Interprete BLACK SABBATH - Album HEAVEN AND HELL - Casa VERTIGO/1980 - Design RICHARD SEIREENI - Disegno LYNN CURLE

GADGET

Come era successo per l'arte quando Lucio Fontana spazialmente e a buon diritto aveva sfondato la sua tela tagliandola o bucherellandola così a un certo punto la copertina rompe con la tradizione.
I cover-designer stravolgono il quadrato, inventano tagli, suddividono l'interno in tanti spazi ripetuti, giocano con le immagini creando strani effetti, reinterpretando quella che era sempre stata una semplice busta.
I risultati vanno dalla scatola di tabacco di gusto iperrealista proposta dall'album degli Small Faces del 1969, alla zip reale, appiccicata sul probabile blue-jeans di Mick Jagger ad opera del solito Andy Warhol, alla busta grigliata e colorata dell'Orchestral Manoeuvres in the Dark che spezza l'usuale compattezza della superficie coprente.
Si tende in questo modo a far diventare la copertina un oggetto sorpresa che, da un lato, assume un valore e un significato quasi concorrenziali rispetto al disco che contiene, dall'altro, certamente, attrae il probabile acquirente incuriosito dalla forma inconsueta.
Spesso la tiratura è bassa, proprio come succede per certi multipli, venendo così a creare un alone da pezzo raro e una punta di orgoglio per chi ne possiede una copia.

☐ Interprete SMALL FACES - Album OGDENS' NUT GONE FLAKE - Casa IMMEDIATE/1968 - Design P. BROWN

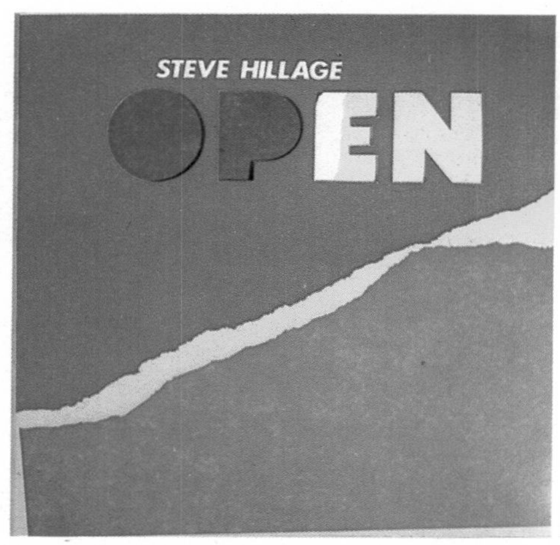

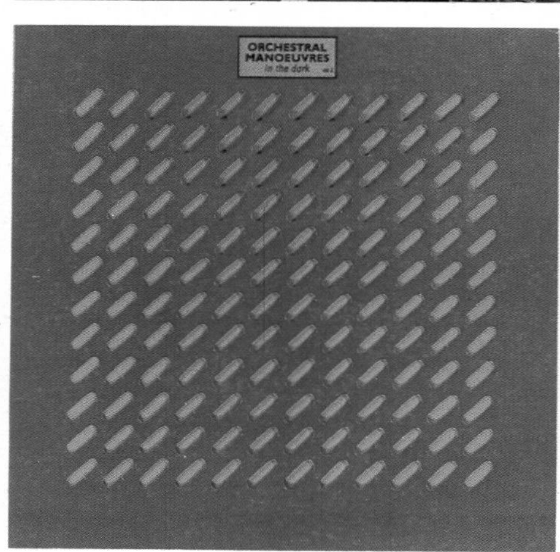

☐ Interprete ROLLING STONES - Album SOME GIRLS - Casa ROLLING STONES RECORDS/1978 - Design PETER CORRISTON ☐ Interprete BOB MARLEY & THE WAILERS - Album BABYLON BY BUS - Casa ISLAND/1978 - Design NEVILLE GARRICK ☐ Interprete STEVE HILLAGE - Album OPEN - Casa VIRGIN/1979 - Design SIMON RYAN ☐ Interprete FAMILY - Album BANDSTAND - Casa UNITED ARTISTS/1972 - Design JOHN KOSH ☐ Interprete ORCHESTRAL MANOEUVRES IN THE DARK - Album ORCHESTRAL MANOEUVRES IN THE DARK - Casa VIRGIN/1980 - Design BEN KELLY & PETER SAVILLE ☐ Interprete KLARK KENT - Album KLARK KENT - Casa A&M/1980

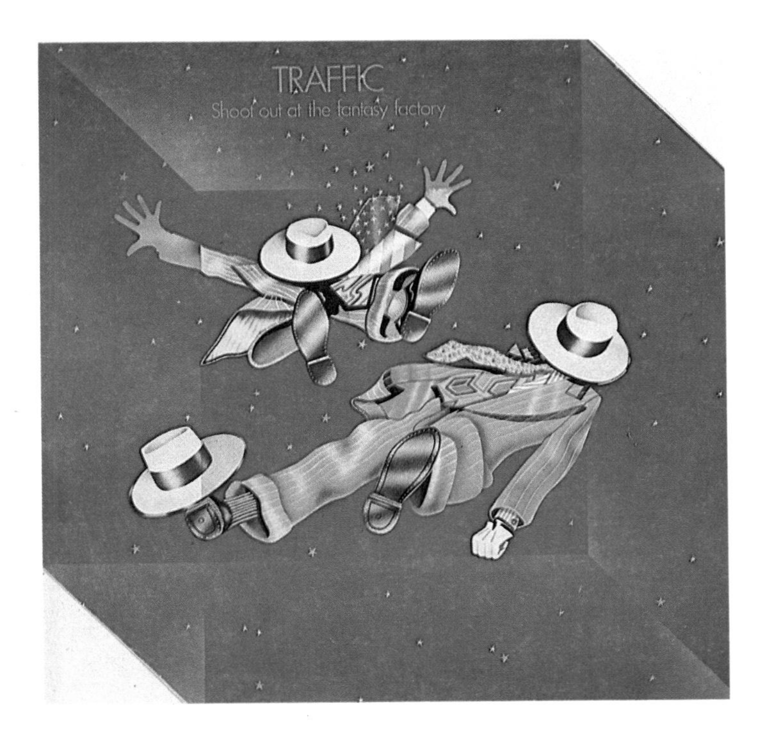

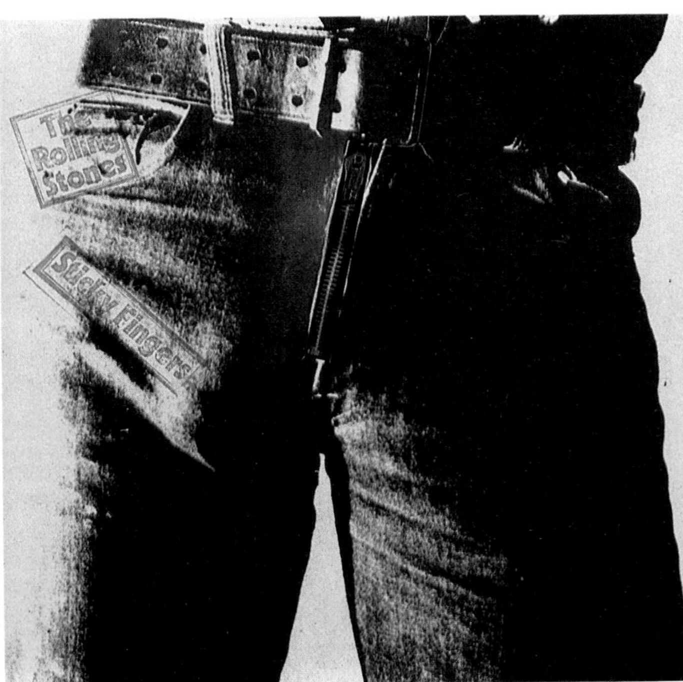

☐ Interprete TRAFFIC - Album SHOOT OUT AT THE FANTASY FACTORY - Casa ISLAND/1973 - Design TONY WRIGHT ☐ Interprete THE MOTORS - Album TENEMENT STEPS - Casa VIRGIN/1980 - Design PEARCE MARCHBANK ☐ Interprete ROLLING STONES - Album STICKY FINGERS - Casa ROLLING STONES RECORDS/1971 - Design ANDY WARHOL ☐ Interprete FINGERPRINTZ - Album DISTINGUISHING MARKS - Casa VIRGIN/1980 - Design PETER SAVILLE - Dipinti JOHN STALIN

PRIMO PIANO

È la formula di copertina più conosciuta e inflazionata, primordiale, il mezzo in fondo più semplice. Sin dalla nascita del disco e quindi del suo involucro, per risolvere il problema della presentazione: una bella foto dell'interprete, una scritta leggibile e la copertina è fatta.
Proprio per questo genere di inflazione la copertina-ritratto rappresenta una specie di campo minato, dove è facile cadere nella retorica, nella ripetizione annoiata di schemi che effettivamente sono quelli di sempre.
Eppure i ritratti passati su copertina e da annoverare come piccoli capolavori di semplicità e di lucidità espressiva non sono pochi. Anzi, forse grazie alla legge dei grandi numeri e fatte le debite proporzioni, anche la galleria dei ritratti è fatta di spunti molto interessanti.
Non a caso nelle copertine-ritratto si sono cimentati fotografi di nome illustre, provenienti dalla moda e dall'arte, quasi a fornire un imprimatur ideale. Giochi sapienti di luci, scelte opportune di pellicole e obiettivi fotografici, collocazione ambientale ora povera e neutra, ora ricercata ed ecco che il ritratto racconta con l'ausilio di pochi mezzi e apparentemente senza ambizioni particolari, il disco e il suo personaggio, confermandosi linguaggio immediato e efficacissimo.

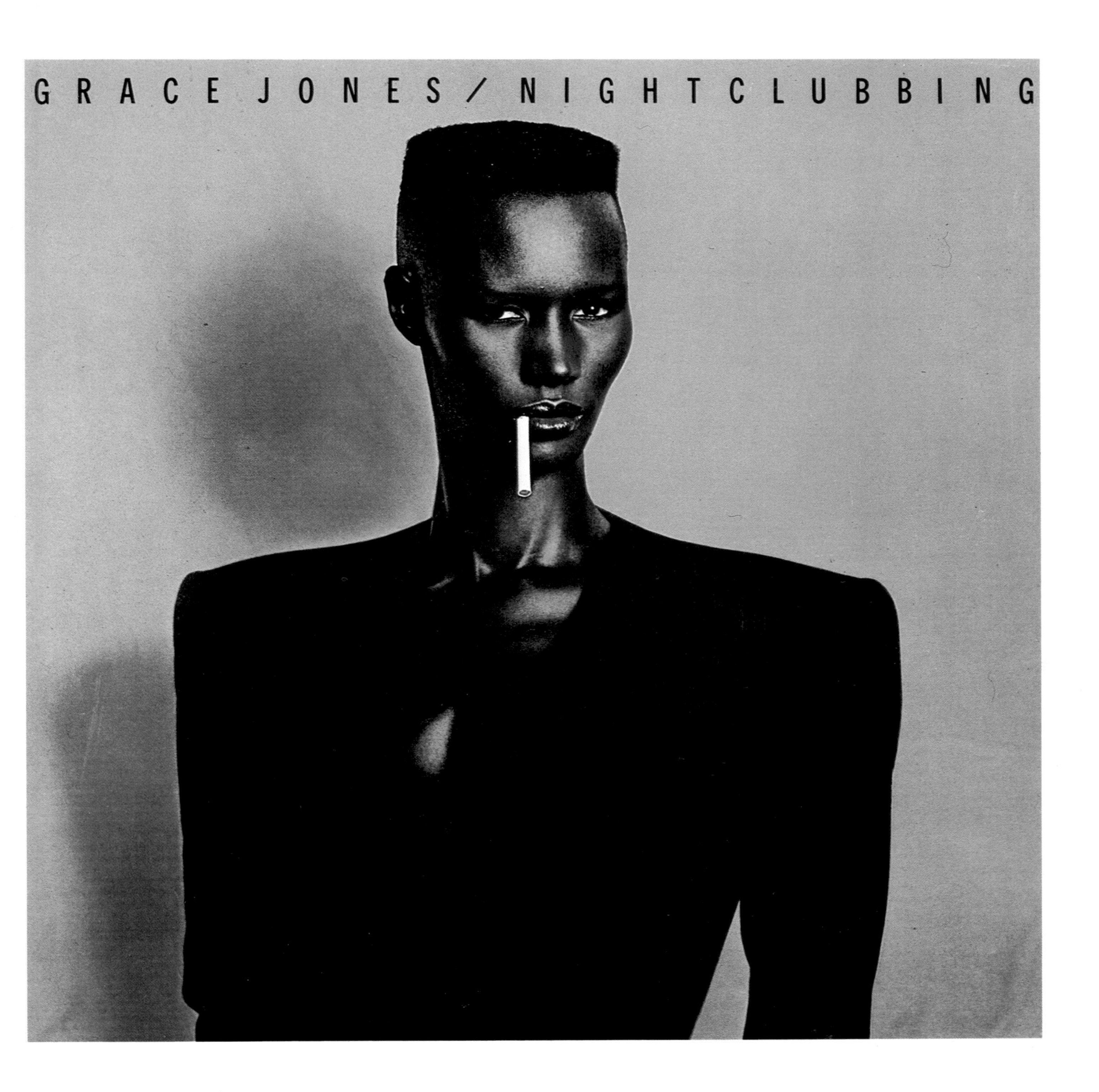

□ Interprete GRACE JONES - Album NIGHTCLUBBING - Casa ISLAND/1981 - Disegno JEAN PAUL GOUDE

☐ Interprete THE WHO - Album THE KIDS ARE ALRIGHT - Casa POLYDOR/1979 - Foto ART KANE

☐ Interprete ROLLING STONES - Album THE ROLLING STONES NO. 2 - Casa DECCA, 1964 - Foto DAVID BAILEY ☐ Interprete BLUES BROTHERS - Album BRIEFCASE FULL OF BLUES - Casa ATLANTIC/1978 - Design JUDITH JACKLIN - Foto DAVID ALEXANDER ☐ Interprete PRETENDERS - Album PRETENDERS II - Casa SIRE RECORDS COMPANY - Foto GAVIN COCHRANE ☐ Interprete ROLLING STONES - Album BETWEEN THE BUTTONS - Casa DECCA/1967 - Foto GERED MANKOWITZ

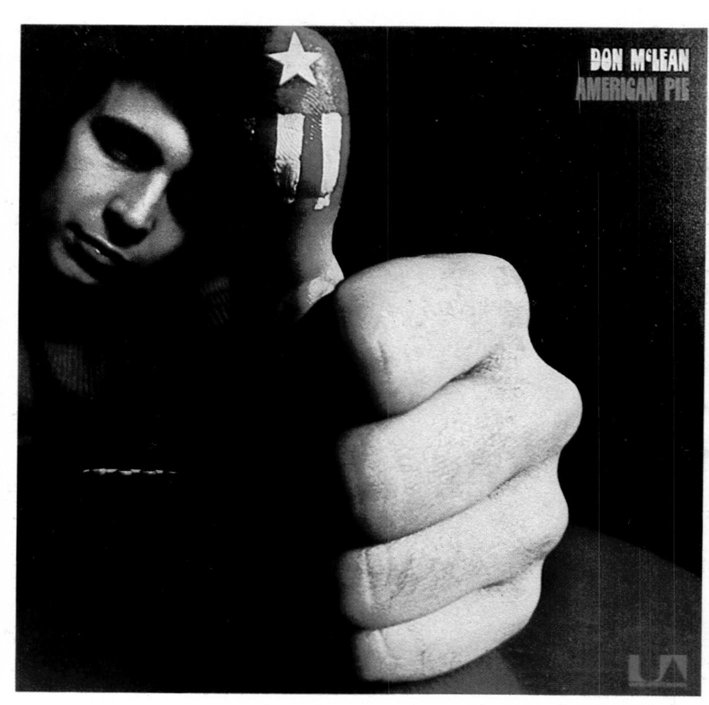

☐ Interprete BOB DYLAN - Album HARD RAIN - Casa CBS/1976 - Design PAULA SCHER - Foto KEN REGAN-CAMERA 5 ☐ Interprete FRANK ZAPPA - Album SHEIK YER BOUTI - Casa CBS/1979 - Design JOHN WILLIAMS - Foto LYNN GOLDSMITH ☐ Interprete FRANK ZAPPA - Album YOU ARE WHAT YOU IS - Casa CBS/1981 - Design JOHN VINCE - Foto JOHN LIVZEY ☐ Interprete DON Mc LEAN - Album AMERICAN PIE - Casa UA/1972

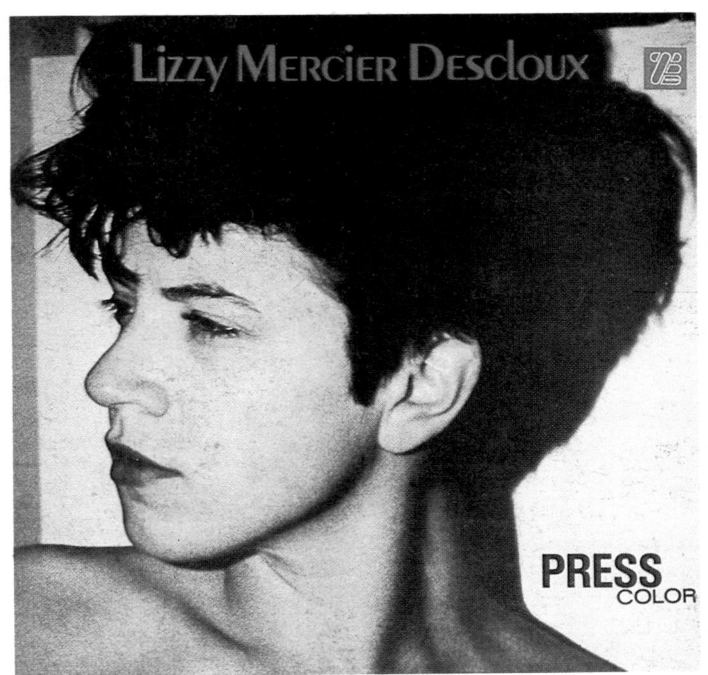

☐ Interprete NINA HAGEN BAND - Album NINA HAGEN BAND - Casa CBS/1978 - Design e foto JIM RAKETE ☐ Interprete LIZZY MERCIER DESCLOUX - Album PRESS COLOR - Casa ISLAND/1979 - Foto FABIO ☐ Interprete MARIANNE FAITHFULL - Album BROKEN ENGLISH - Casa ISLAND/1979 - Foto DENNIS MORRIS ☐ Interprete JONI MITCHELL - Album BLUE - Casa REPRISE/1971 - Design GARY BURDON - Foto TIM CONSIDINE

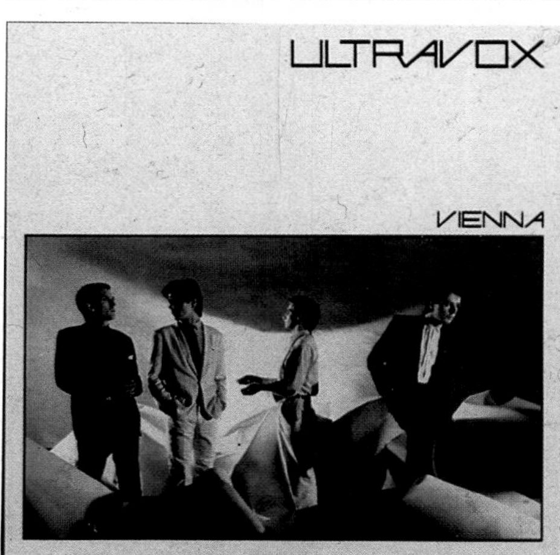

☐ Interprete VALERIE LAGRANGE - Album VALERIE LAGRANGE - Casa VIRGIN/1980 - Design JEAN FELIX GALETTI - Foto ROBERTO BARRY, CHEAP COVER COMPANY ☐ Interprete JOE JACKSON - Album I'M THE MAN - Casa A&M/1979 - Design JOE JACKSON, MICHAEL ROSS - Foto BRUCE RAE ☐ Interprete PATTI SMITH - Album HORSES - Casa ARISTA/1975 - Design BOB HEIMALL - Foto ROBERT MAPPLETHORPE ☐ Interprete KRAFTWERK - Album TRANS EUROPE EXPRESS - Casa CAPITOL/1977 - Design INK STUDIOS ☐ Interprete ULTRAVOX - Album VIENNA - Casa CHRYSALIS/1980 - Design GLENN TRAVIS - Foto BRIAN GRIFFIN ☐ Interprete MADNESS - Album ONE STEP BEYOND - Casa STIFF RECORDS/1979 - Design EDDIE AND JULIES & STIFF - Foto CAMERON McVEY

☐ Interprete OLIVIA NEWTON-JOHN - Album PHYSICAL - Casa EMI/1981 - Design GEORGE OSAKI - Foto HERB RITTS ☐ Interprete BOB DYLAN - Album BLONDE ON BLONDE - Casa CBS/1966 ☐ Interprete DIANA ROSS - Album DIANA - Casa MOTOWN RECORDS/1980 - Design RIA LEWERKE-SHAPIRO/GRAFIS - Foto FRANCESCO SCAVULLO

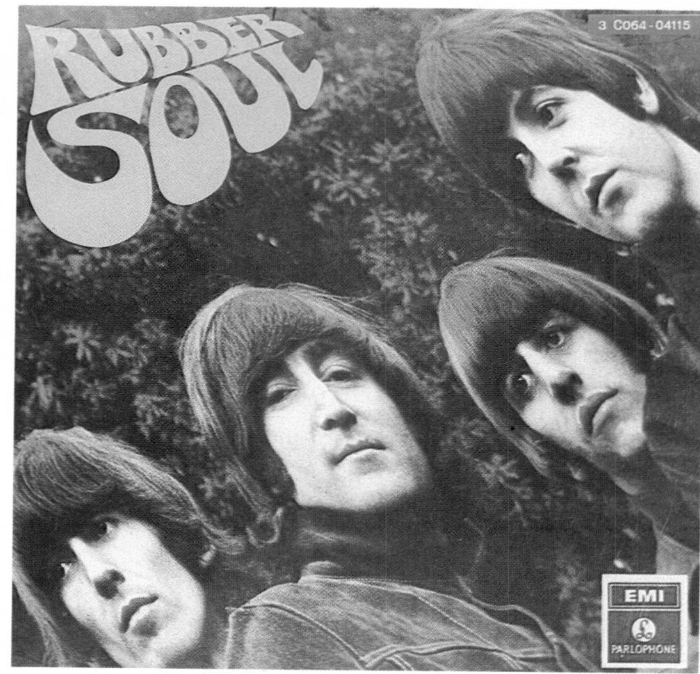

☐ Interprete THE JIMI HENDRIX EXPERIENCE - Album ELECTRIC LADYLAND - Casa POLYDOR/1969 - Design DAVID KING - Foto DAVID MONTGOMERY ☐ Interprete BEATLES - Album RUBBER SOUL - Casa PARLOPHONE/1966 - Foto ROBERT FREEMAN ☐ Interprete THE POLICE - Album REGATTA DE BLANC - Casa A&M/1979 - Design MICHAEL ROSS - Foto JAMES WEDGE ☐ Interprete DEVO - Album Q.: ARE WE NOT MEN? A: WE ARE DEVO! - Casa VIRGIN/1978 - Foto CHUCK STATLER

☐ Interprete JOAN ARMATRADING - Album ME MYSELF I - Casa A&M/1980 - Design CHUCK BEESON - Foto BRIAN HAGIWARA ☐ Interprete JANIS JOPLIN - Album PEARL - Casa CBS/1971 - Design e foto BARRY FEINTSTEIN & TOM WILKES ☐ Interprete CAROLE KING - Album TAPESTRY - Casa EPIC/1971 - Design CHUCK BEESON - Foto JIM McCRARY ☐ Interprete CROSBY, STILLS & NASH - Album CROSBY, STILLS & NASH - Casa ATLANTIC, 1969 - Design GARY BURDEN - Foto HENRY DILTZ

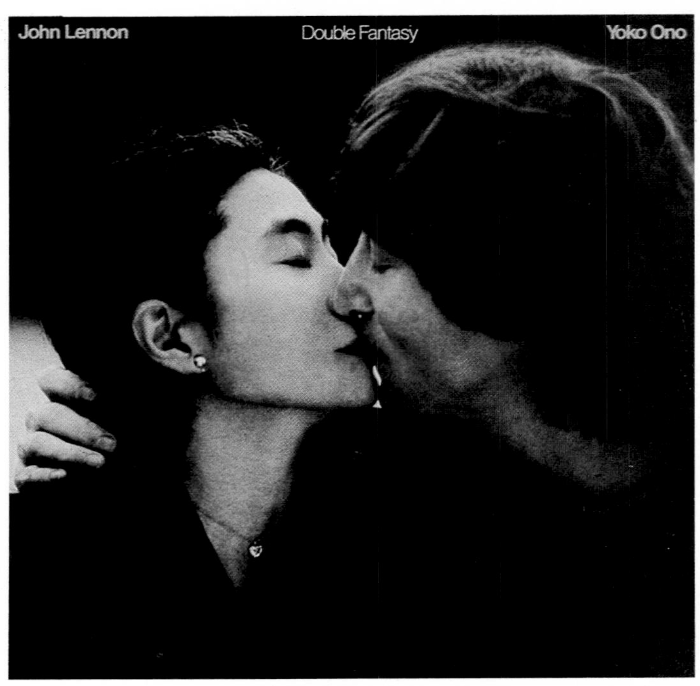

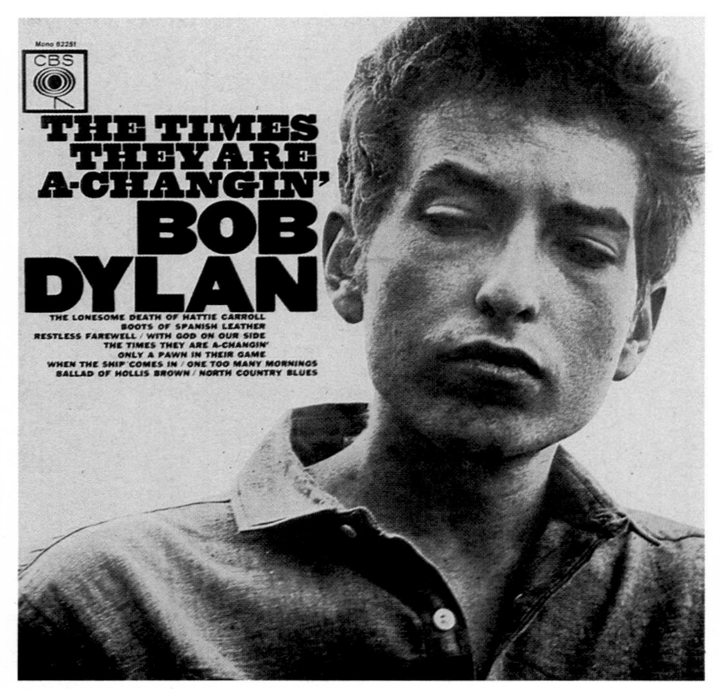

☐ Interprete SIMON & GARFUNKEL - Album BOOKENDS - Casa CBS/1968 - Foto RICHARD AVEDON ☐ Interprete JOHN LENNON-YOKO ONO - Album DOUBLE FANTASY - Casa GEFFEN RECORDS/1980 - Design CHRISTOPHER WHORF/ART HOTEL - Foto KISHIN SHINOYAMA ☐ Interprete BOB DYLAN - Album THE TIMES THEY ARE A-CHANGIN' - Casa CBS/1963 ☐ Interprete MARIANNE FAITHFULL - Album DANGEROUS ACQUAINTANCES - Casa ISLAND/1981 - Design PAUL HENRY - Foto CLIVE ARROWSMITH

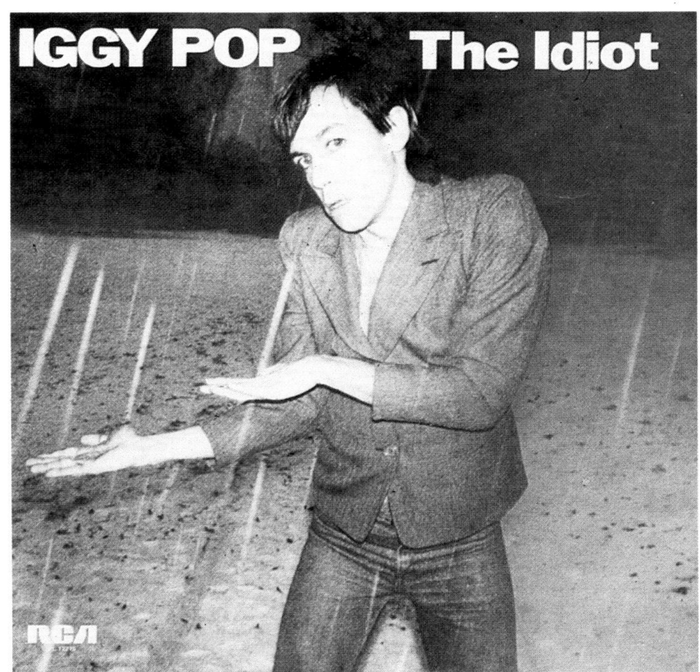

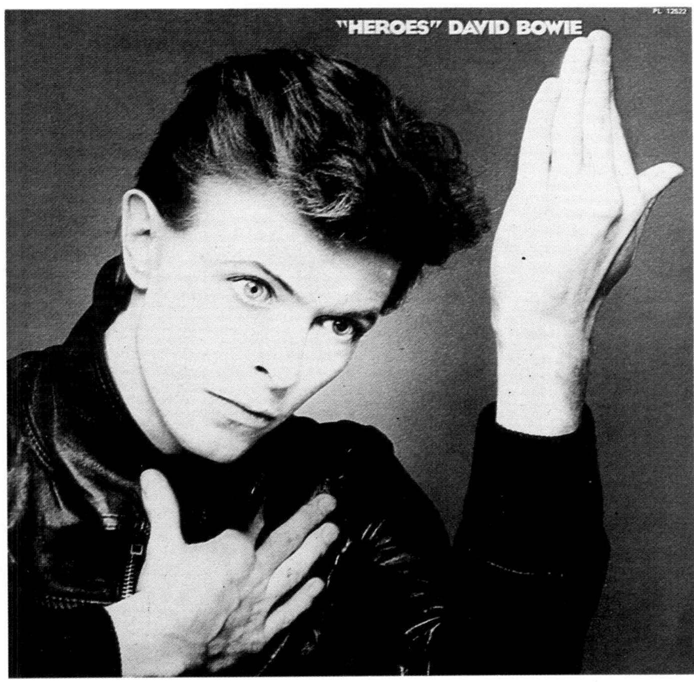

☐ Interprete LENE LOVICH - Album STATELESS - Casa STIFF RECORDS/1979 - Design CHRIS MORTON - Foto BRIAN GRIFFIN ☐ Interprete IGGY POP - Album THE IDIOT - Casa RCA/1977 ☐ Interprete DAVID BOWIE - Album HEROES - Casa RCA/1977 - Foto SUKITA ☐ Interprete LOU REED - Album THE BELLS - Casa ARISTA/1979 - Design HOWARD FRITZSON, DONN DAVENPORT - Foto GARRY GROSS

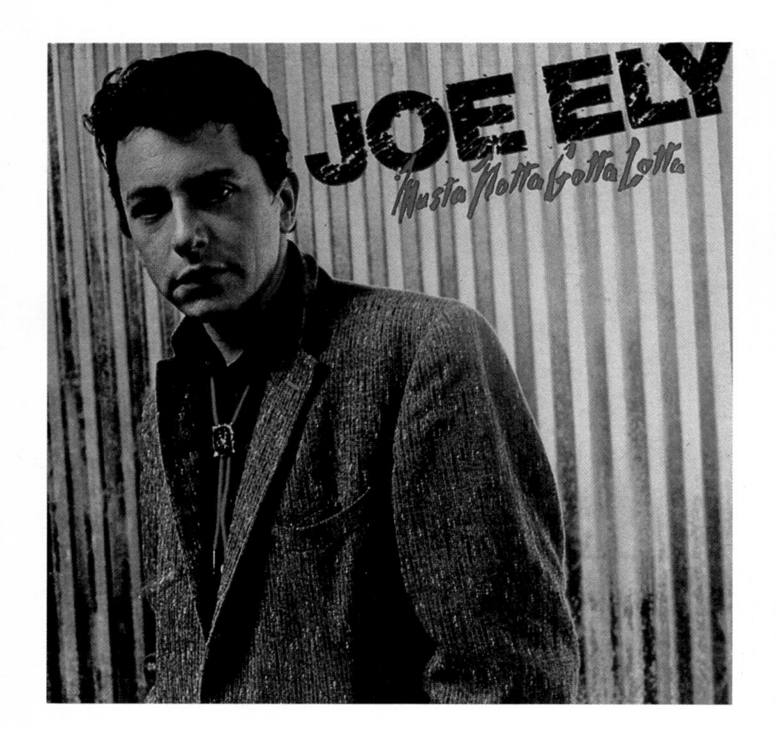

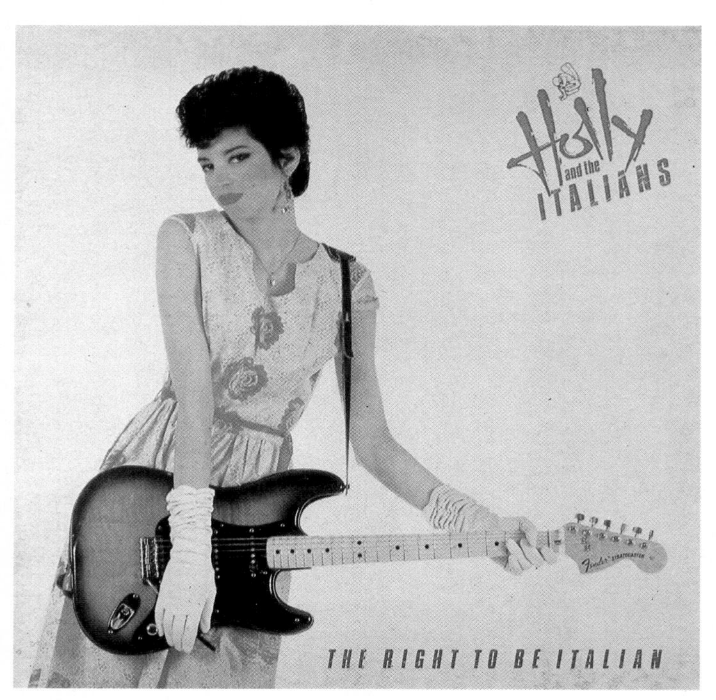

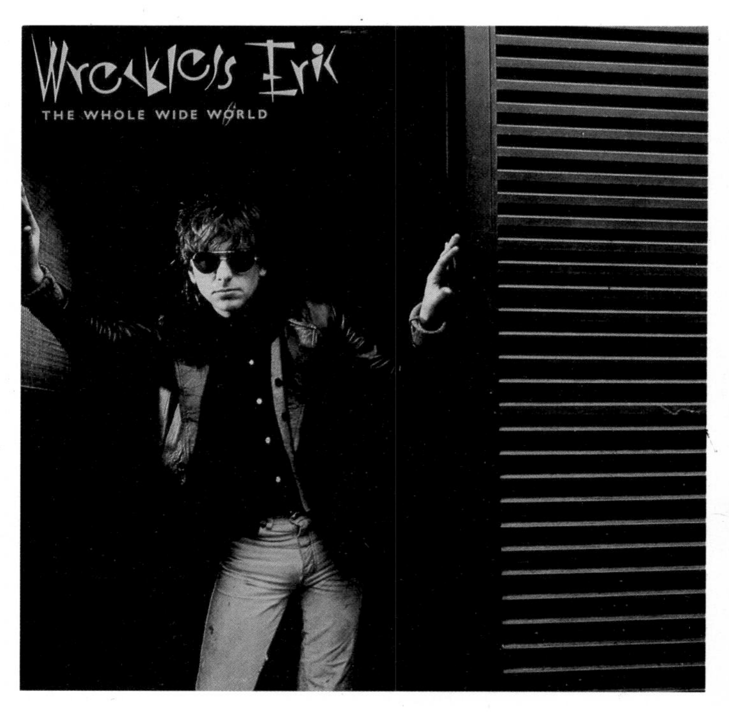

☐ Interprete JOE ELY - Album MUSTA NOTTA GOTTA LOTTA - Casa MCA/1981 - Design DICK REEVES AND JOHN WILSON - Foto JIM McGuire ☐ Interprete JAMES WHITE AND THE BLACKS - Album OFF WHITE - Casa ZE/1979 - Foto ANYA PHILLIPS ☐ Interprete HOLLY AND THE ITALIANS - Album THE RIGHT TO BE ITALIAN - Casa VIRGIN/1981 - Foto LYNN GOLDSMITH ☐ Interprete WRECKLESS ERIC - Album THE WHOLE WIDE WORLD - Casa STIFF RECORDS/1980

BIANCO E NERO

L'introduzione del colore nelle pellicole fotografiche e cinematografiche non ha certo detronizzato l'uso del bianco e nero, al contrario ne ha esaltato le caratteristiche e la ricerca. Non è un caso che Woody Allen torna al bianco e nero in un film così particolarmente delicato e introspettivo come *Manhattan* e che Wim Wenders, sostenendo di sognare in bianco e nero, spesso lo usi per i suoi film più significativi.
Il fascino di questo tipo di copertina non ha mai abbandonato l'ispirazione e la fantasia dei fotografi e dei disegnatori che, in questi ultimi anni soprattutto, l'hanno riproposto sull'onda di un gusto retrò e di un revival emergente.
Le profondità, le luci, le ombre, le tonalità dei grigi, il dramma, i contorni che si riescono a ottenere con l'uso di questi due colori, mai considerati tali, ha dello straordinario ed appartengono alla storia della fotografia, del cinema, della grafica e della copertina d'autore.

☐ Interprete ERIC CLAPTON - Album SLOWHAND - Casa R.S.O./1977 - Design DAVID STEWART AND NELLO - Foto WATAL ASAMUMA ☐ Interprete BRUCE SPRINGSTEEN - Album BORN TO RUN - Casa COLUMBIA/1975 - Design JOHN BERG/ANDY ENGEL - Foto ERIC MEOLA

☐ Interprete JOE JACKSON - Album LOOK SHARP! - Casa A&M/1979 - Design MICHAEL ROSS - Foto BRIAN GRIFFIN

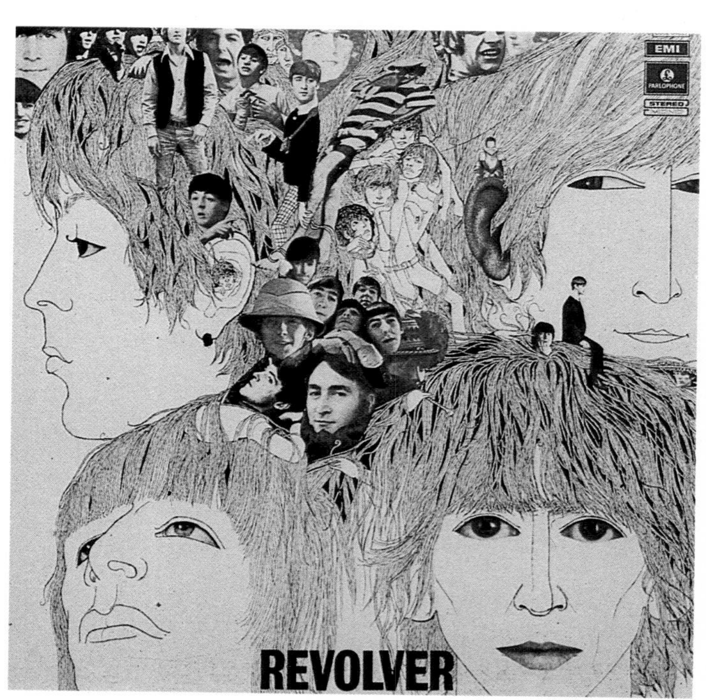

☐ Interprete PERE UBU - Album THE MODERN DANCE - Casa BLANK RECORDS/1978 - Design S.W. TAYLOR - Foto MIK MELLEN ☐ Interprete SANTANA - Album SANTANA - Casa CBS/1969 - Design LEE CONKLIN ☐ Interprete ART BEARS - Album THE WORLD AS IT IS TODAY - Casa ARCADES/1981 - Design BEAR IV ☐ Interprete BEATLES - Album REVOLVER - Casa PARLOPHONE/1966 - Design KLAUS VOORMANN

☐ Interprete BAUHAUS - Album MASK - Casa BEGGARS BANQUET/1981 - Disegno DANIEL ASH ☐ Interprete PINK FLOYD - Album THE WALL - Casa HARVEST/1980 - Design GERALD SCARFE AND ROGER WATERS

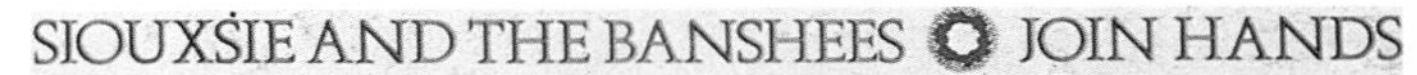

☐ Interprete THE SOUND - Album JEOPARDY - Casa KOROVA/1980 - Design SARA BATHO - Foto SPENCER ROWELL ☐ Interprete SIOUXSIE AND THE BANSHEES - Album JOIN HANDS - Casa POLYDOR/1979 - Design ROB O' CONNOR - Disegno JOHN MAYBURY ☐ Interprete BRIAN ENO - Album BEFORE AND AFTER SCIENCE - Casa E.G. RECORDS/1977 - Design BRIAN ENO/CREAM - Foto RITVA SAARIKKO ☐ Interprete JEFF BECK - Album THERE & BACK - Casa EPIC/1980 - Design JOHN BERG

☐ Interprete FINGERPRINTZ - Album BEAT NOIR - Casa VIRGIN/1981 - Foto NIALL DOULL-CONNOLLY ☐ Interprete KLAUS NOMI - Album KLAUS NOMI - Casa RCA/1981 - Design VITAMINE STUDIO - Foto MICHAEL HALSBAND ☐ Interprete JONI MITCHELL - Album HEJIRA - Casa ASYLUM/1976 - Design JONI MITCHELL & GLEN CHRISTENSEN - Foto NORMAN SEEFF & JOEL BERNSTEIN ☐ Interprete LINDA RONSTADT - Album HEART LIKE A WHEEL - Casa CAPITOL/1974 - Design ROD DYER - Foto LEN CORREA

☐ Interprete PERE UBU - Album DUB HOUSING - Casa CHRYSALIS/1978 - Design JOHN THOMPSON - Foto MIK MELLEN ☐ Interprete KILLING JOKE - Album KILLING JOKE - Casa EG RECORDS/1980 ☐ Interprete BAUHAUS - Album IN THE FLAT FIELD - Casa AD RECORDS/1980 ☐ Interprete NASH THE SLASH - Album CHILDREN OF THE NIGHT - Casa DINDISC/1980 - Design NASH THE SLASH - Foto GAVIN COCHRANE ☐ Interprete RICKIE LEE JONES - Album PIRATES - Casa WARNER BROS./1980 - Design MIKE SALISBURY - Foto BRASSAI

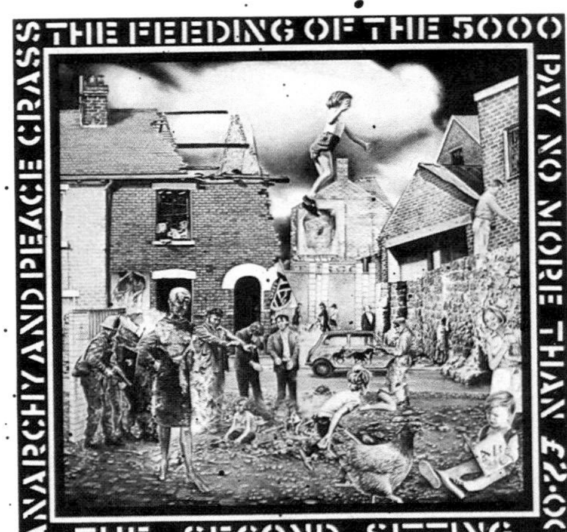

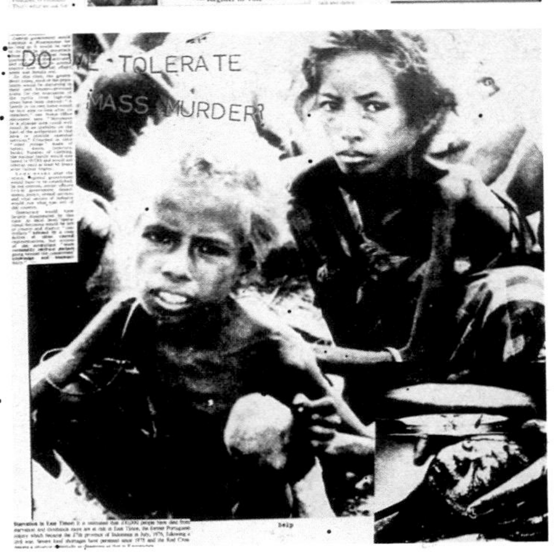

☐ Interprete JETHRO TULL - Album THICK AS A BRICK - Casa CHRYSALIS/1972 - Design C.C.S. ☐ Interprete TOM WAITS - Album HEARTATTACK AND VINE - Casa ELEKTRA/ASYLUM/1980 - Design RON CORO/NORM UNG - Foto GREG GORMAN ☐ Interprete JOHN & YOKO/PLASTIC ONO BAND/ELEPHANT'S MEMORY - Album SOMETIME IN NEW YORK CITY - Casa APPLE/1972 - Design MICHAEL GROSS - Foto BOB GRUEN ☐ Interprete THE POP GROUP - Album FOR HOW MUCH LONGER DO WE TOLERATE MASS MURDER? - Casa ROUGH TRADE/1980 ☐ Interprete CRASS - Album THE SECOND SITTING - Casa CRASS RECORDS/1978 - Design G. ☐ Interprete THE POP GROUP - Album FOR HOW MUCH LONGER DO WE TOLERATE MASS MURDER? - Casa ROUGH TRADE/1980

Quando il punk sferra la sua offensiva contro la macchina del *businnes* della musica giovanile, sono veramente pochi quelli che credono che il fenomeno porterà dei cambiamenti nella costruzione dell'immagine del prodotto musicale. Dal '76 a oggi, in realtà, le modificazioni sono state molte e profonde: quasi una rivoluzione, paragonabile, forse, solo alla scossa provocata dal fenomeno beat della prima metà degli anni 60.
Nascono le etichette indipendenti e per ciascuna, almeno nella prima fase, è riconoscibile un segno grafico originale. Le immagini cercano una corrispondenza con la nuova onda musicale. Le copertine dei punk sono scomposte, frazionate in modo irregolare, violente e iconoclaste nella rappresentazione delle situazioni. Quando comincia a emergere la *new wave* elettronica il segno diventa geometrico, schematico e freddo. Nascono le prime copertine con fotografie o disegni ritrattati dai computer o addirittura con immagini programmate ed elaborate direttamente dalla macchina. La *new wave* inglese recupera sonorità e stili dagli anni 60, e così torna prepotentemente il bianco-nero nella riproduzione optical dei gruppi ska del 1979-80. La nuova onda nella musica provoca un vero e proprio terremoto anche nel processo di formazione dell'immagine. Gli stili, le citazioni, i riferimenti si moltiplicano e si frazionano. A ciascuno la sua musica e la sua immagine, ogni volta più «nuova».

□ Interprete DAVID WERNER - Album DAVID WERNER - Casa EPIC/1979 - Design JANET PEER AND PAULA SCHER - Foto BENNO FRIEDMAN

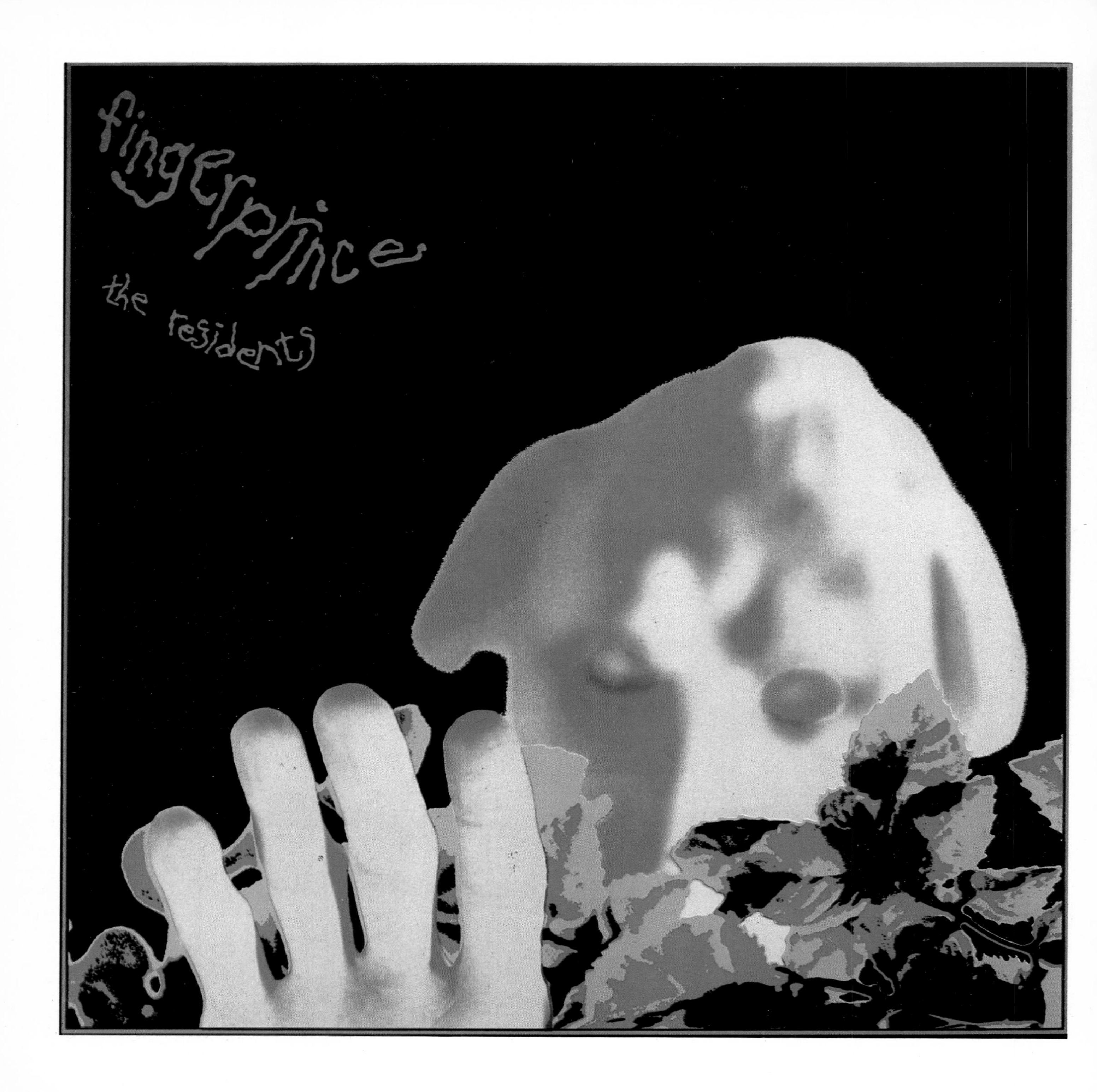

☐ Interprete THE RESIDENTS - Album FINGERPRINCE - Casa RALPH RECORDS/1979 - Design THE RESIDENTS, PORE NO GRAPHICS

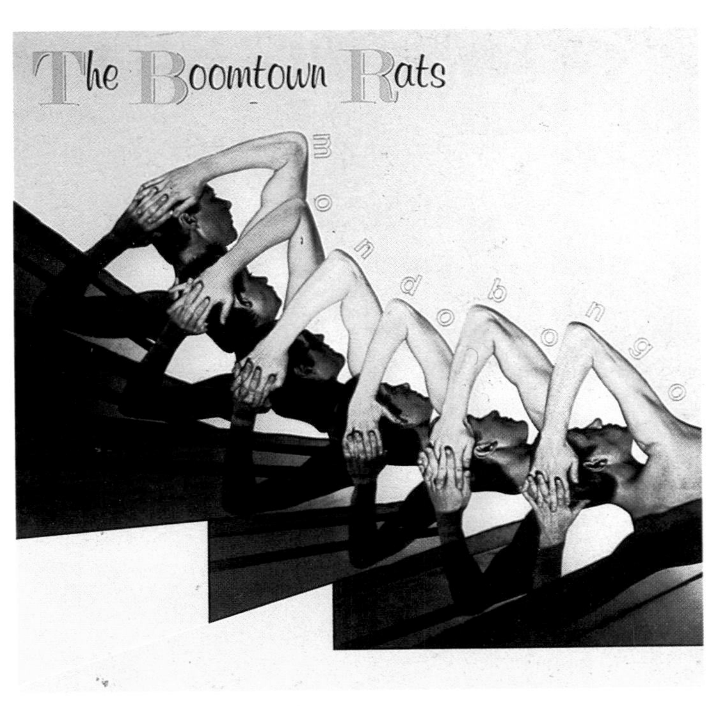

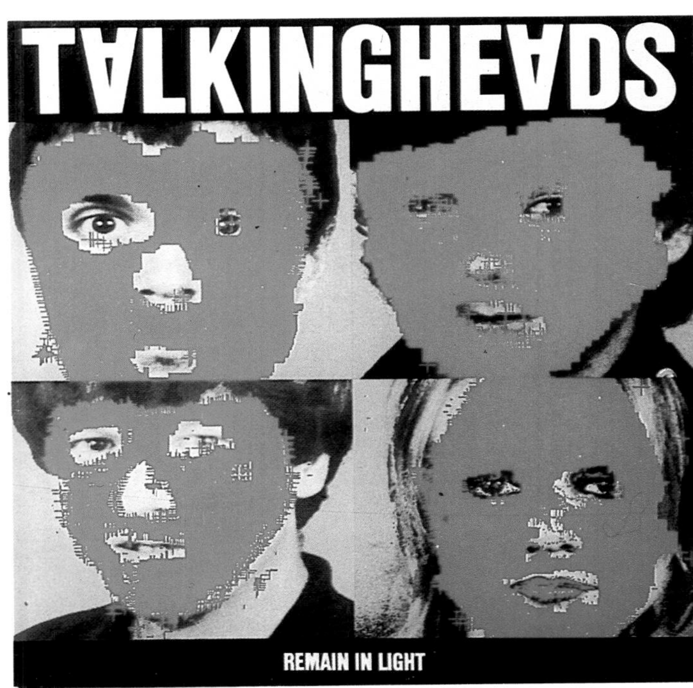

☐ Interprete ELVIS COSTELLO - Album ALMOST BLUE - Casa BEAT/1981 - Foto KEITH MORRIS ☐ Interprete THE BOOMTOWN RATS - Album MONDOBONGO - Casa MERCURY/1981 - Design ALAN SCHMIDT, STUART BAILEY, ANDREW PREWETT - Foto MIKE OWEN ☐ Interprete TALKING HEADS - Album REMAIN IN LIGHT - Casa SIRE RECORDS/1980 - Design M&CO. IMMAGINI DI COMPUTER: HCL, JPT, DDD, PAUL WALTER GP, C/T. ☐ Interprete THE MOTELS - Album MOTELS - Casa CAPITOL/1979 - Design ROY KOHARA, HENRY MARQUEZ - Foto ELLIOT GILBERT

☐ Interprete XTC - Album DRUMS AND WIRES - Casa VIRGIN/1979 - Disegno JILL MUMFORD ☐ Interprete THE JOE ELY BAND - Album LIVE SHOTS - Casa MCA/1980 ☐ Interprete THE JOE JACKSON BAND - Album BEAT CRAZY - Casa A&M/1980 - Design JOE JACKSON - Foto ANTON CORBIJN ☐ Interprete YELLO - Album CLARO QUE SI - Casa RALPH RECORDS/1981 - Design CHERRY ☐ Interprete THE BEAT - Album I JUST CAN'T STOP IT - Casa ARISTA/1980 ☐ Interprete GRUPPO SPORTIVO - Album COPY COPY - Casa ARIOLA/1980 - Design YOUNG AND UGLY

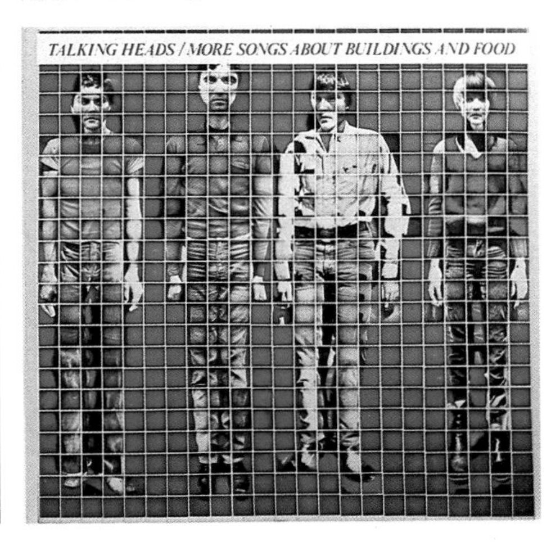

□ Interprete THE VAPORS - Album NEW CLEAR DAYS - Casa LIBERTY UNITED/1980 □ Interprete THE CLASH - Album GIVE'EM ENOUGH ROPE - Casa CBS/1978 - Design GENE GREIF □ Interprete NINE NINE NINE - Album HIGH ENERGY PLAN - Casa RADAR RECORDS/1979 - Design MALCOLM GARRETT - Foto CHRIS GABRIN □ Interprete ARTISTI VARI - Album NO NEW YORK - Casa ANTILLES/1978 - Design & foto BRIAN ENO □ Interprete ARTISTI VARI - Album - THAT SUMMER - Casa ARISTA/1979 - Design GRAPHYK □ Interprete TALKING HEADS - Album MORE SONGS ABOUT BUILDINGS AND FOOD - Casa SIRE RECORDS/1978 - Design DAVID BYRNE - Foto JIMMY DE SANA

☐ Interprete THE SELECTER - Album TOO MUCH PRESSURE - Casa CHRYSALIS/1980 - Design «TEFLON» SIMS, DAVID STOREY - Foto RICK MANN ☐ Interprete ARTISTI VARI - Album DANCE CRAZE - Casa 2 TONE RECORDS/1981 - Design JERRY DAMMERS, JOHN TEFLON SIMS ☐ Interprete PHIL AND THE BLANKS - Album PHIL AND THE BLANKS - Casa DERBY/1980 - Design ART HOTEL, CHRISTOPHER WHORF, MAC JAMES ☐ Interprete THE TIGERS - Album SAVAGE MUSIC - Casa WEA/1980 - Design MNF

MISCELLANEA

Abbiamo frazionato il mondo dell'immagine del disco in diciotto settori. Non ci stava tutto quello che volevamo documentare.
Fra la scelta di scomporre le immagini che seguono in tanti altri piccoli frammenti titolati, o di abbandonarci alla libertà dell'associazione visiva abbiamo preferito quest'ultima. In queste pagine troverete copertine di album mitici, come *Beggars Banquet* dei Rolling Stones, accompagnate ad altre *cover* di dischi meno blasonati ispirate agli stessi toni di colore o d'ambiente. Troverete anche sequenze composte con criteri più identificabili, come le immagini di case e di città, i graffiti sui muri, le cartografie. Ogni quadro, ogni composizione segue un criterio originale. A voi lettori il compito di scovare il filo...

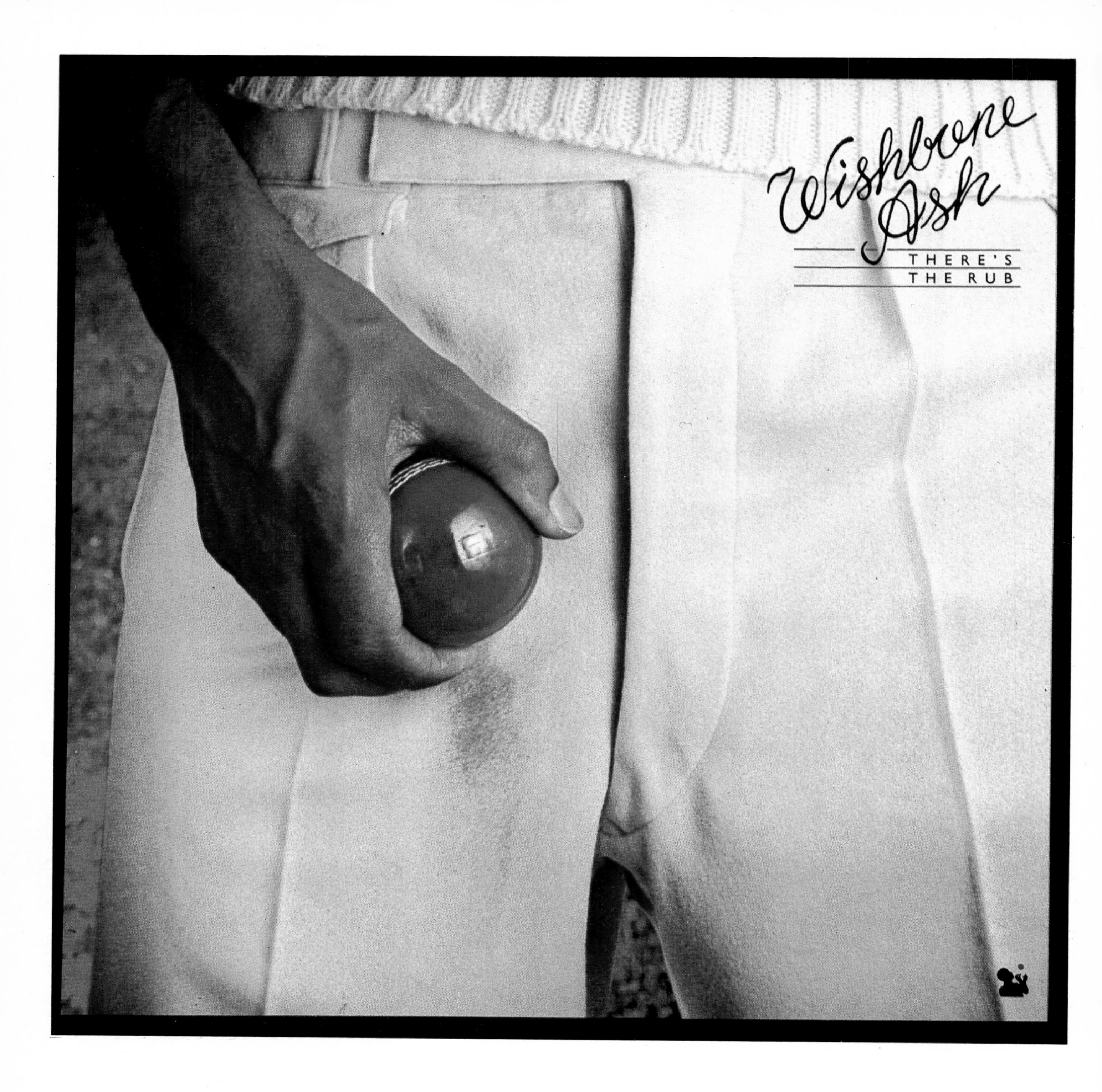

☐ Interprete WISHBONE ASH - Album THERE'S THE RUB - Casa MCA/1974 - Design & Foto HIPGNOSIS

☐ Interprete SALLY OLDFIELD - Album EASY - Casa BRONZE/1979 - Foto MARTIN POOLE, MERV & THE ORIGINALS ☐ Interprete BOZZ SCAGGS - Album SILK DEGREES - Casa CBS/1976 - Design NANCY DONALD, RON CORO - Foto MOSHE BRAKHA ☐ Interprete BRAND X - Album MASQUES - Casa CHARISMA/1978 - Foto CHRIS KUTSCHERA ☐ Interprete BLURT - Album IN BERLIN - Casa ARMAGEDDON RECORDS/1980 - Foto TED MILTON

☐ Interprete THE ROLLING STONES - Album BEGGARS BANQUET - Casa DECCA/1968 - Design TOM WILKES - Foto MICHAEL JOSEPH ☐ Interprete LED ZEPPELIN - Album IN THROUGH THE OUT DOOR - Casa SWAN SONG/1979 - Design HIPGNOSIS ☐ Interprete ELTON JOHN - Album DON'T SHOOT ME, I'M ONLY THE PIANO PLAYER - Casa DJM/1972 - Design MICHAEL ROSS, DAVID LARKHAM - Foto ED CARAEFF ☐ Interprete THE DOORS - Album MORRISON HOTEL - Casa ELEKTRA/1970 - Design GARY BURDEN - Foto HENRY DILTZ ☐ Interprete JOHN LENNON - Album ROCK'N'ROLL - Casa APPLE/1975 - Design ROY KOHARA - Foto JURGEN VOLLMER

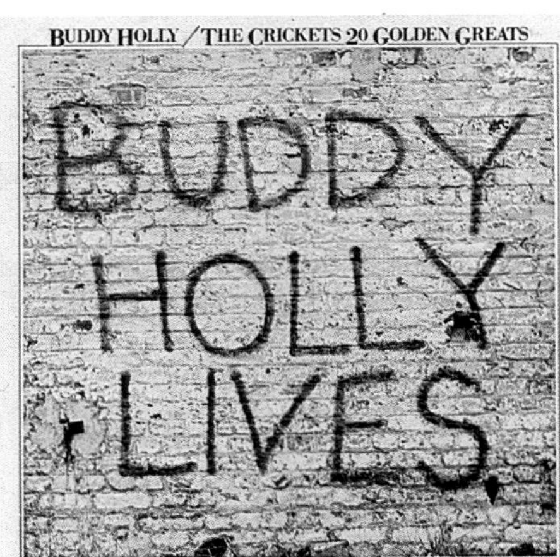

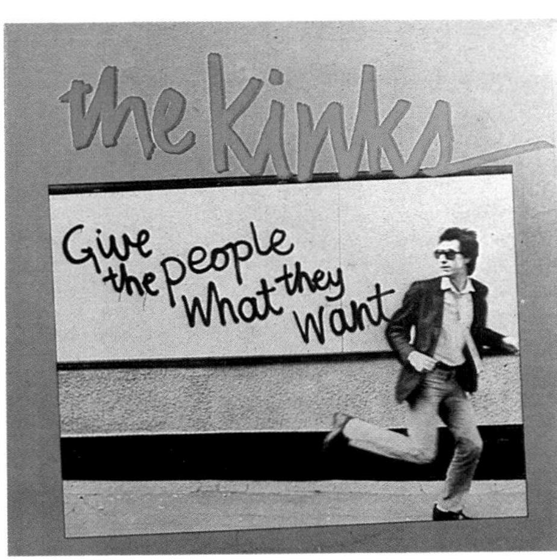

☐ Interprete CHICK COREA AND GARY BURTON - Album CHICK COREA AND GARY BURTON IN CONCERT - Casa ECM/1980 - Design & foto DIETER REHM ☐ Interprete EAGLES - Album HOTEL CALIFORNIA - Casa ASYLUM/ELEKTRA 1976 - Design JOHN KOSH ☐ Interprete MARTHA AND THE MUFFINS - Album THIS IS THE ICE AGE - Casa DINDISC/1981 - Design MARK GANE-SAVILLE-WICKENS ☐ Interprete THE WHO - Album QUADROPHENIA - Casa POLYDOR/1979 - Design RICHARD EVANS - Foto FRANK CONNOR ☐ Interprete BUDDY HOLLY/THE CRICKETS - Album 20 GOLDEN GREATS - Casa MCA/1978 - Design JOHN BEECHER - Foto GRAHAM HUGHES ☐ Interprete THE KINKS - Album GIVE THE PEOPLE WHAT THEY WANT - Casa ARISTA/1981 - Design NEAL POZNER - Foto ROBERT ELLIS

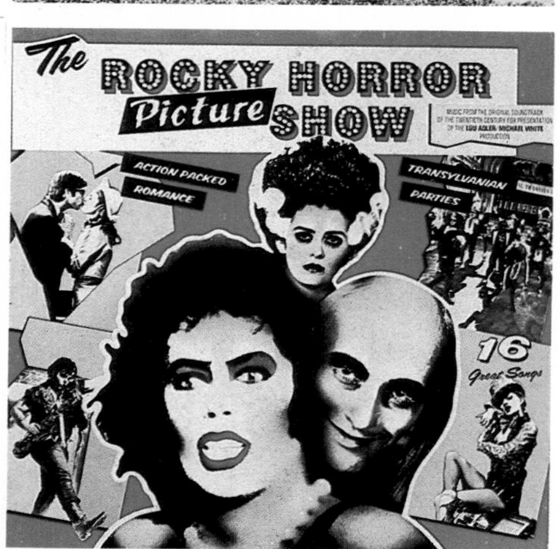

☐ Interprete BEACH BOYS - Album L.A. (LIGHT ALBUM) - Casa CBS/1979 - Design TONY LANE - Disegno GARY MEYER, JIM HEIMANN, DREW STRUZAN, STEVE CARVER, DAVE McMACKEN, NICK TAGGART ☐ Interprete RON WOOD - Album GIMME SOME NECK - Casa CBS/1979 - Design TONY LANE ☐ Interprete TOM JOHNSON - Album AN HOUR FOR PIANO - Casa LOVELY MUSIC/1979 - Design PATRICK VITACCO AND KEN CORNET ☐ Interprete ARTISTI VARI - Album THE ROCKY HORROR PICTURE SHOW - Casa ODE RECORDS/1975 - Design JOHN PASCHE, GULL GRAPHICS ☐ Interprete THE BLUE CATS - Album FIGHT BACK - Casa ROCKHOUSE RECORDS/1981 - Design HANS WIENTUENS ☐ Interprete THE DRIFTERS - Album THE DRIFTERS' GOLDEN HITS - Casa ATLANTIC/1968 - Design LORING EUTEMEY

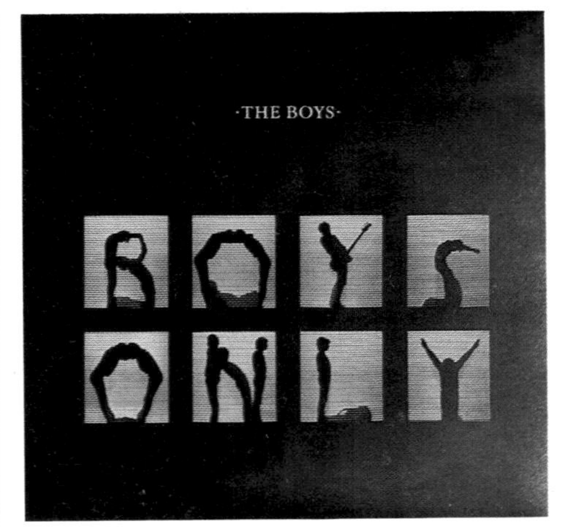

☐ Interprete THE HUMAN LEAGUE - Album DARE - Casa VIRGIN/1981 - Design PHILIP AND ADRIAN - Foto BRIAN ARIS ☐ Interprete AU PAIRS - Album PLAYING WITH A DIFFERENT SEX - Casa HUMAN/1981 - Design MARTIN/ROCKING RUSSIAN - Foto EVE ARNOLD ☐ Interprete THE BOYS - Album BOYS ONLY - Casa SAFARY/1980 - Design JOHN GORDON - Foto GEOFF HOWES ☐ Interprete JOHN McLAUGHLIN - Album ELECTRIC GUITARIST - Casa CBS/1978 - Design GENE GREIF ☐ Interprete BILLY JOEL - Album SONGS IN THE ATTIC - Casa CBS/1981 - Design BILLY JOEL/PAULA SCHER - Foto DAN WEAKS ☐ Interprete JOHN MARTYN - Album GLORIOUS FOOL - Casa WEA/1981 - Design BILL SMITH - Foto EBERHARD GRAMES

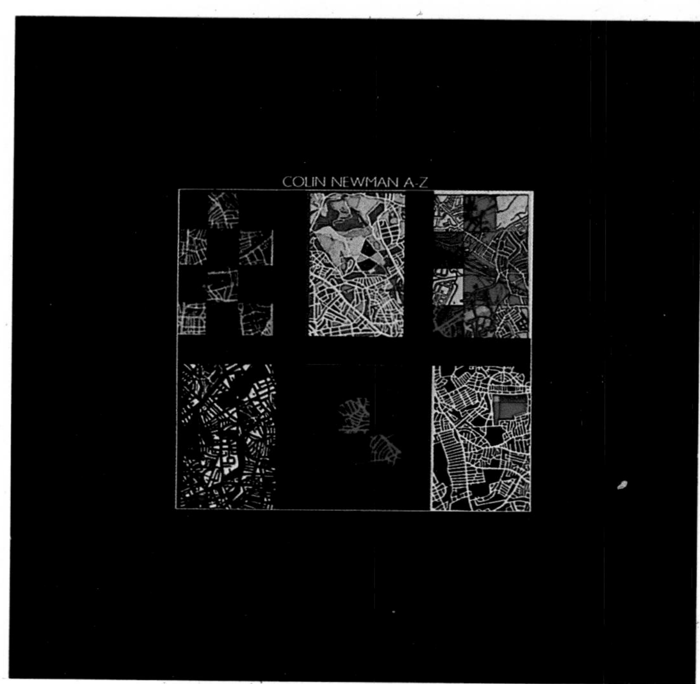

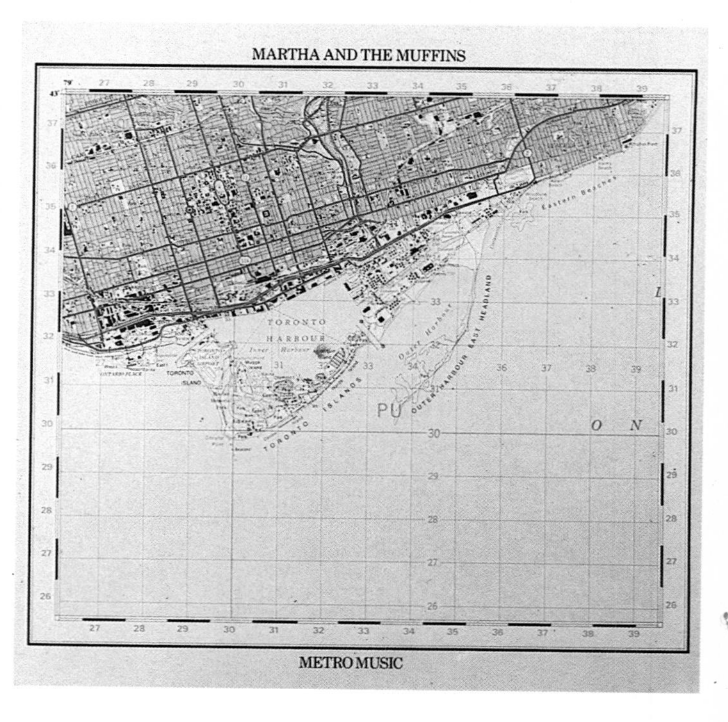

☐ Interprete MICK FLEETWOOD - Album THE VISITORS - Casa RCA/1981 - Design RICHARD DASHUT, MICK FLEETWOOD - Disegno JAMES CAMPUS, ANTHONY COHEN ☐ Interprete COLIN NEWMAN - Album A-Z - Casa BEGGARS BANQUET/1980 - Design C. AND A. NEWMAN ☐ Interprete ATHLETICO SPIZZ 80 - Album DO A RUNNER - Casa A&M/1980 - Design SPIZZ/ROCKING RUSSIAN ☐ Interprete MARTHA AND THE MUFFINS - Album METRO MUSIC - Casa VIRGIN/1979 - Design MARTHA AND THE MUFFINS - Disegno PETER SAVILLE

☐ Interprete URIAH HEEP - Album CONQUEST - Casa BRONZE RECORDS/1980 - Design MARTIN POOLE, KARL BOSLEY & LINDA CURRY - Foto MARTIN POOLE ☐ Interprete THE ELECTRIC FLAG - Album THE BAND KEPT PLAYNG - Casa ATLANTIC/1974 - Design BOB DEFRIN - Disegno DON IVAN PUNCHATZ ☐ Interprete THE BEATLES - Album SGT. PEPPER'S LONELY HEARTS CLUB BAND - Casa PARLOPHONE/1967 - Design MC PRODUCTIONS AND THE APPLE ☐ Interprete THE MOTHERS OF INVENTION - Album WE'RE ONLY IN IT FOR THE MONEY - Casa MGM/1968

☐ Interprete DEXY'S MIDNIGHT RUNNERS - Album SEARCHING FOR THE YOUNG SOUL REBELS - Casa PARLOPHONE/1980 - Design FLY BY NIGHT

MADE IN ITALY

La scuola italiana degli artisti addetti alle copertine dei dischi è numericamente piuttosto depressa ma non mancano soprattutto negli ultimi anni prodotti eccellenti, giustamente valutati e apprezzati anche all'estero. Ma oltre a mancare un vivaio, una professionalità già acquisita e capace di stimolare i giovani, manca da noi una tradizione e una cultura adeguata sull'informazione generale che naturalmente si trasferisce anche sull'oggetto-messaggio copertina. Da poco anche i discografici si sono accorti dell'importanza di questo strumento e non è un caso che la scelta per quello che ci riguarda sia caduta su realizzazioni per la stragrande maggioranza molto recenti. Il gusto che si evolve, a partire dai responsabili per arrivare agli addetti ai lavori e al pubblico, una certezza che la buona qualità dell'immagine possa favorire un discreto movimento di mercato, la maggior sensibilità degli stessi artisti ci hanno fornito in questi anni ottime copertine, capaci di non sfigurare con la media particolarmente alta dei paesi musicalmente più sviluppati. Si tende comunque a spezzare la monotonia di un'immagine appena decorativa, sbattuta piattamente su cartone per cercare invece di trasmettere concetti più sottili e opportuni, legati alla musica e al suo interprete.

☐ Interprete KRISMA - Album CLANDESTINE ANTICIPATION - Casa CGD/1982 - Design MARIO CONVERTINO

□ Interprete MATITA EMOSTATICA - Album CAUSTICA ANTISETTICA - Casa MATERIALI SONORI/1981 - Design ROBERTO MASOTTI

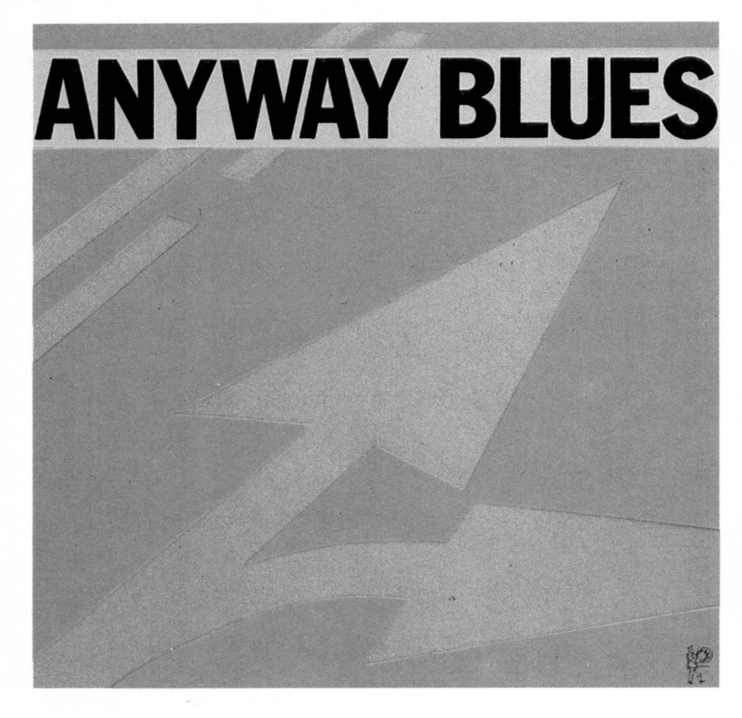

☐ Interprete NEW TROLLS - Album FS - Casa FONIT CETRA/1981 - Foto ILVIO GALLO ☐ Interprete CACAO - Album CACAO - Casa PILGRIM FATHERS/1981 - Design MARCO COLOMBO ☐ Interprete ANYWAY BLUES - Album ANYWAY BLUES - Casa MAMA BARLEY RECORDS/1981 - Design LORENZO MAZZA ☐ Interprete EUGENIO FINARDI - Album SECRET STREETS/1982 - Casa FONIT CETRA - Design MARIO CONVERTINO

□ Interprete SHAMPOO - Album IN NAPLES 1980-81 - Casa EMI/1980 □ Interprete SKIANTOS - Album MONOTONO - Casa CRAMPS/1978 - Design «GIANNI SASSIDURI» - Disegno «ROLANDO KASSINARI» □ Interprete SKIANTOS - Album PESISSIMO - Casa CRAMPS/1980 - Design SKIANTOS/«O GIANNI O SASSI» - Foto CARLO MAIOLI/VITTORIO DINI/SONNY STRANO/FABRIZIO GARGHETTI

☐ Interprete EUGENIO BENNATO/CARLO D'ANGIÒ - Album MUSICA NOVA - Casa PHILIPS/1978 - Design MIETTA ALBERTINI ☐ Interprete ENZO JANNACCI - Album SECONDO TE... CHE GUSTO C'È? - Casa ULTIMA SPIAGGIA/1977 - Design STUDIO BOZZETTO ☐ Interprete PAOLO PIETRANGELI - Album LO SCONFRONTO - Casa I DISCHI DEL SOLE/1976 - Design F. ORIGONI - Disegno ALFREDO CHIAPPORI ☐ Interprete ANGELO BRANDUARDI - Album COGLI LA PRIMA MELA - Casa POLYDOR/1979 - Design MARIO CONVERTINO, LUISA BRANDUARDI, DAVID ZARD - Disegno MARIO CONVERTINO/GUIDO ALBERI ☐ Interprete RICCARDO COCCIANTE - Album ANIMA - Casa RCA/1978 - Disegno FOLON

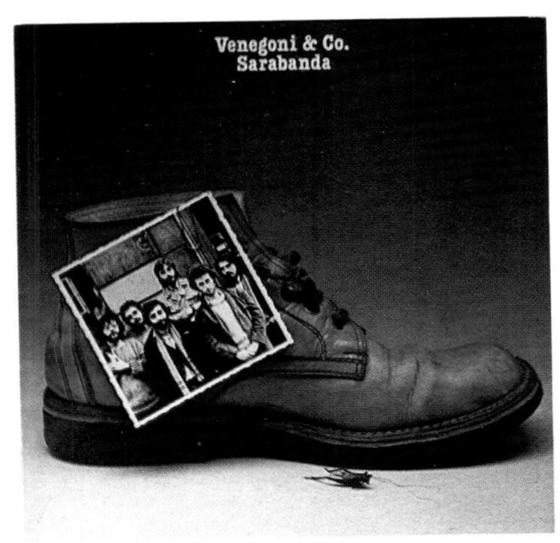

☐ Interprete VENEGONI & CO. - Album SARABANDA - Casa CRAMPS/1979 - Design GIANNI SASSI - Foto ROBERTO MASOTTI/FABIO SIMION ☐ Interprete EUGENIO FINARDI - Album DIESEL - Casa CRAMPS/1977 - Design EDOARDO SIVELLI/ROLANDO CASSINARI - Foto FABIO SIMION/ROBERTO MASOTTI ☐ Interprete ALBERTO CAMERINI - Album CENERENTOLA E IL PANE QUOTIDIANO - Casa CRAMPS/1976 - Design EDOARDO SIVELLI - Foto FABIO SIMION - Disegno M. CAMERINI/M. TURCHET/U.F.O. ☐ Interprete ARTISTI VARI - Album 1979 IL CONCERTO - OMAGGIO A DEMETRIO STRATOS - Casa CRAMPS/1979 - Design GIANNI SASSI - Foto ILVIO GALLO ☐ Interprete AREA - Album CRAC! - Casa CRAMPS/1975 - Design EDOARDO SIVELLI - Disegno GIAN MICHELE MONTI ☐ Interprete ALBERTO CAMERINI - Album COMICI COSMETICI - Casa CRAMPS/1978 - Design ROLANDO CASSINARI - Disegno MARIO CAMERINI

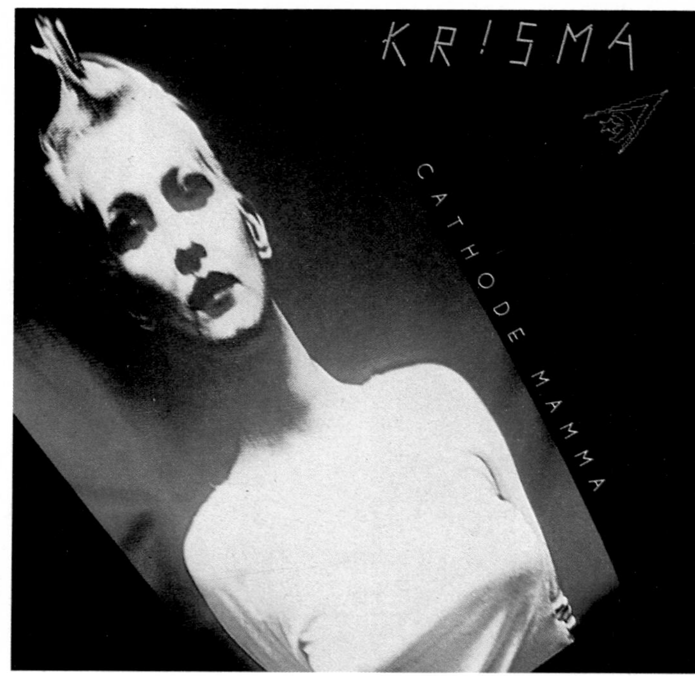

☐ Interprete CHRISMA - Album HIBERNATION - Casa POLYDOR/1979 - Design MARIO CONVERTINO/CLAUDIO GOBBI ☐ Interprete CHRISMA - Album CATHODE MAMMA - Casa POLYDOR/1980 - Design MARIO CONVERTINO ☐ Interprete FRANCO BATTIATO - Album LA VOCE DEL PADRONE - Casa EMI/1981 - Design FRANCESCO MESSINA - Foto ROBERTO MASOTTI ☐ Interprete LUCIO BATTISTI - Album UNA GIORNATA UGGIOSA - Casa NUMERO UNO/1980 - Design MARIO CONVERTINO - Foto ILVIO GALLO

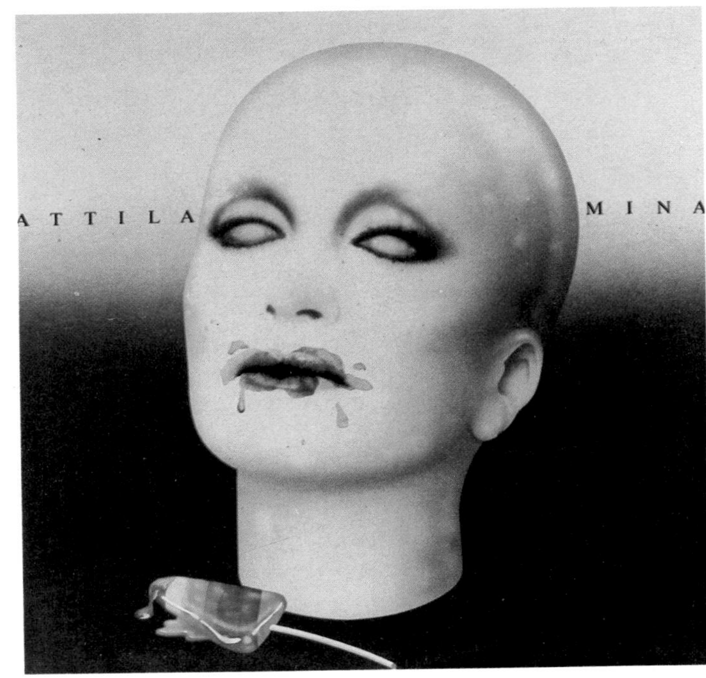

☐ Interprete ORNELLA VANONI - Album DUEMILATRECENTOUNO PAROLE - Casa CGD/1981 - Design GIORGIO FORATTINI ☐ Interprete MINA - Album ATTILA - Casa PDU/1979 - Design LUCIANO TALLARINI - Disegno GIANNI RONCO - Foto MAURO BALLETTI ☐ Interprete PAUL RUTHERFORD/TONY RUSCONI - Album TO FALL A VICTIM TO ICE-CREAM CHARM - Casa L'ORCHESTRA/1980 - Design ALBERTO MAZZENZANA/STUDIO SINTESI - Foto ROBERTO MASOTTI/MARCO DALUMI ☐ Interprete ENRICO RAVA QUARTET - Album «AH» - Casa ECM/1980 - Design MICHELANGELO PISTOLETTO

☐ Interprete LUCIO DALLA - Album DALLA - Casa RCA/1980 - Foto RENZO CHIESA E AMBROGIO LO GIUDICE ☐ Interprete FAUST'O - Album POCO ZUCCHERO - Casa ASCOLTO/1979 - Design NANNI CAGNONE - Foto PINO USICCO ☐ Interprete LOREDANA BERTÉ - Album LOREDANA BERTÉ - Casa CGD/1980 - Design ROMEO BORZINI - Foto MICHEL ROI ☐ Interprete IVAN CATTANEO - Album DUEMILA60 ITALIAN GRAFFIATI - Casa CGD/1981 - Design IVAN CATTANEO - Foto STUDIO 30/40

☐ Interprete LOREDANA BERTÉ - Album MADE IN ITALY - Casa CGD/1981 - Design e foto CHRISTOPHER MAKOS/ANDY WARHOL STUDIO ☐ Interprete ARTISTI VARI - Album ROCK '80 - Casa CRAMPS RECORDS/1980 - Design GIANNI SASSI - Foto MASOTTI/GIOVANNETTI ☐ Interprete IVAN CATTANEO - Album SUPERIVAN - Casa ULTIMA SPIAGGIA/1979 - Design IVAN CATTANEO - Foto STUDIO 30/40 ☐ Interprete THE COLLA - Album AD OVEST DI PAPERINO - Casa CGD/1982 - Design PIER PAOLO SCOLERA

☐ Interprete EDOARDO BENNATO - Album I BUONI E I CATTIVI - Casa RICORDI/1974

Finito di stampare
per conto della
Nuove Edizioni Gabriele Mazzotta S.r.l.
nel mese di Maggio 1982
dalle Off. Grafiche Elli & Pagani S.p.A.